10 minutes pour la planète

À Saturnin, Esther et Odilon

Conception graphique et mise en pages : Alice Leroy
Illustrations : Frédérique Thyss

Édition du Club France Loisirs, Paris
Avec l'autorisation des Éditions Flammarion
Éditions France Loisirs,
123, boulevard de Grenelle, Paris
www.franceloisirs.com
ISBN : 978-2-298-00962-0
N° éditeur : 50487
Dépôt légal : février 2008

10 minutes pour la planète

Anne Tardy • Illustrations Frédérique Thyss

PLUS DE 300 ÉCO-GESTES AU QUOTIDIEN

ÉDITIONS FRANCE LOISIRS

Sommaire

« Ils ne savaient pas que c'était impossible, alors ils l'ont fait. »

Mark Twain

Urbaine, inconsciente et inconséquente j'ai longtemps été. Je ne suis pas plus superficielle qu'un(e) autre, j'ai tout simplement été habituée au confort, à toujours plus de confort. Quant à la Terre qui me porte, je n'y prêtais réellement attention qu'en vacances, lorsque je partais à sa rencontre.

Un jour, à force d'être interpellée (voire culpabilisée) par les articles de journaux, j'ai tout doucement ouvert un œil... et pris conscience ! En effet, aujourd'hui, il est difficile de rester dans le déni : le souci de l'environnement est partout et c'est tant mieux. Des pages de *Psychologies* à celles du *TGV Magazine*, du site de Carrefour en passant par *Le Figaro* ou encore à la Cité des sciences et de l'industrie de Paris qui lui a consacré une grande exposition sur plusieurs mois... tout le monde y va de ses cris d'alarme et de ses conseils. Du fait des activités humaines, la chaleur de l'air augmente. On nous prédit même une inéluctable catastrophe planétaire. On nous dit qu'il faut faire vite, très vite, diviser notre consommation d'énergie par deux ou trois.

Alors, depuis, je change. Chaque jour un petit peu plus. Parce que les sirènes alarmistes m'ont fait peur ? Oui, peut-être, bien sûr. Mais aussi parce que j'ai découvert que je pouvais me faire plaisir en inventant une nouvelle manière d'être au monde... Vivre vert, ce n'est pas vivre triste en consommant moins, c'est vivre en couleurs en consommant ce dont on a besoin, pas plus. Les expériences montrent que cela est possible sans limiter son sacro-saint confort et tout en faisant des économies souvent importantes.

« La Terre ne nous appartient pas, ce sont nos enfants qui nous la prêtent », rappelle un sage proverbe indien. De fait, de notre mobilisation individuelle et collective dépend l'avenir de la planète bleue, et par là même l'avenir de l'homme. Ça tombe bien : l'homme du IIIe millénaire, encore quelque peu engourdi, se réveille lentement. La dégradation de son environnement l'inquiète : épuisement des matières premières, pics de pollution, accumulation des déchets, gaspillage de l'énergie, effet de serre et réchauffement climatique, orages, inondations, sécheresse... Mais les habitudes, la négligence et la paresse prennent encore trop souvent le dessus. On se croise les bras, on fait des promesses pour demain ou l'on se relève les manches ? À tout moment, dans nos comportements et dans nos investissements, nous pouvons, nous devons faire des choix de développement durable. C'est impératif. Mieux : c'est *vital,* car nous sommes en train de dévorer littéralement Gaïa, la Terre. **Si chaque être humain consommait comme un Européen, 3,4 planètes seraient nécessaires pour subvenir aux besoins de la population mondiale !** Si nous divisions la surface de la Terre par les six milliards d'humains qui la peuplent, nous aurions droit, chacun, à un lopin de 1,9 hectare pour satisfaire nos besoins sans attaquer la biosphère. Or, le Français moyen a besoin pour vivre de 5,2 hectares (6 hectares pour un Parisien), soit presque deux fois moins qu'un Américain et huit fois plus qu'un Afghan [1]. Autrement dit, l'heure n'est plus aux constats ni aux lamentations : nous sommes à découvert, c'est désormais indiscutable. Il y a le feu ! Comme le crie Nicolas Hulot, la planète qui nous héberge est bien plus petite qu'on ne l'imagine.

Chaque jour plus fragile, la Terre est agressée de tous côtés. Les traces de l'homme s'observent partout, dans les fonds marins, les glaciers, chez les espèces qui disparaissent, sur les banquises qui fondent, dans les dérèglements climatiques, la pollution de l'air... En prendre conscience est important, agir pour en limiter les impacts est primordial.
Respecter la planète dans sa vulnérabilité commence par des gestes au quotidien. **On les croit contraignants, ils sont tout simples.** On les croit inutiles, ils sont notre modeste mais vitale participation. À la maison, au bureau, lorsque nous nous déplaçons, que nous consommons (nous possédons actuellement quinze fois plus d'objets que nos grands-parents !), que nous jardinons, que nous sommes en vacances ou encore dans la nature, il existe une façon de se comporter, de consommer, d'être au monde. Nous pouvons, nous devons *résister* à nos habitudes. À chacun de trouver les solutions qui tiennent compte de ses conditions de vie et de travail et dont il estime l'effort et le « coût » acceptables.

Comme nous allons le voir tout au long de ce livre, des gestes individuels, le plus souvent minimes, pèsent de tout leur poids dès lors qu'ils sont répétés. En mal comme

1. Pour calculer son empreinte personnelle : www.agir21.org.

en bien. Comme le rappelle le slogan du ministère de l'Écologie, du Développement et de l'Aménagement durables, **« il n'y a pas de petits gestes quand on est soixante millions à les faire[2] »** ! Alors à l'échelle mondiale... ! Nous ne serons jamais assez nombreux à tirer les sonnettes d'alarme, jamais assez nombreux à nous mobiliser pour atténuer l'empreinte de l'homme sur l'écosystème et participer au changement des mentalités.

Ce livre se propose d'être une bible grand public des « éco-gestes d'or », tous ces gestes pratiques, écologiques et citoyens pour prendre soin de la Terre qui nous porte. Agir au présent, là, tout de suite, ensemble, voilà le maître mot des écosophes soucieux de l'à-venir. Le troisième millénaire sera vert, c'est-à-dire conscient, respectueux et solidaire...

« Écologie » vient du grec *oikos* (« maison, habitat ») et *logos* (« science »). Ce mot a été inventé en 1866 par un biologiste allemand pour désigner la « science des relations des organismes avec le monde environnant ».

« Soyez le changement que vous souhaitez voir dans le monde. »

Gandhi

2. Le ministère de l'Écologie, du Développement et de l'Aménagement durables dispose d'un tout petit budget : en 2007, il s'est vu allouer 915 millions d'euros, soit 0,4 % du budget de l'État. Nicolas Sarkozy a promis de l'élever à 1 %.

Les Français sont de plus en plus sensibles à leur environnement et sont même prêts – il était temps ! – à faire des gestes pour le préserver. C'est d'abord une bonne partie de notre éducation à l'intérieur, à la maison, à l'école, au bureau, qui est à revoir. Les choses sont loin d'être insurmontables ! C'est ainsi que de plus en plus d'éco-citoyens éteignent la lumière lorsqu'ils quittent une pièce, ne surchauffent plus leur habitation ou leur bureau, évitent le bain ou encore achètent des produits locaux...
Apprendre à consommer autrement, éviter de gaspiller de l'énergie, de l'eau ou du papier, trier nos déchets, devenir *consom'acteur*...
La plupart du temps, il ne s'agit que de bon sens. Comble de chance, écologique rime souvent avec ludique et économique !

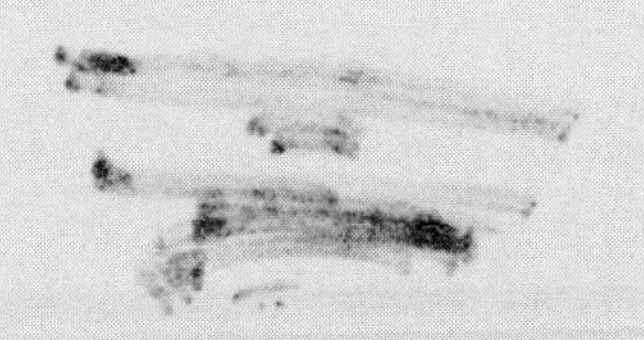

À L’INTÉRIEUR

« La Terre n’appartient pas à l’homme, c’est l’homme qui appartient à la Terre. »

Sitting Bull

Chez soi

C'est ici, à la maison, que se concentre l'essentiel des dynamiques écologiques (positives ou négatives) sur lesquelles chacun peut agir. En effet, on ne l'imagine pas mais, en France, l'habitat est le premier consommateur d'énergie, loin devant l'industrie et les transports ! Nos « besoins » ne manquent pas...

Les ménages consomment 47 % de l'énergie produite dans l'Hexagone pour leurs besoins domestiques : se chauffer, s'éclairer, cuisiner, se laver, faire fonctionner les multiples appareils qui facilitent la vie, améliorer le bien-être ou occuper les loisirs. On trouvera donc sans trop de difficultés des pistes pour faire des efforts... Optons pour le confort sans gaspiller l'énergie ! Toutes ces lumières allumées en même temps sont-elles vraiment utiles ? Peut-on gérer les grands froids sans chauffage d'appoint et les grands chauds sans climatiseur ? L'ordinateur en veille, le lave-vaisselle après un dîner de quatre couverts, un bain tous les matins pour se réveiller, est-ce bien raisonnable ? Pièce après pièce, comment devenir un écosophe ?

CONSOMMATION D'ÉNERGIE DANS LES RÉSIDENCES PRINCIPALES [3]

Chauffage	69 %
Eau chaude	12 %
Électricité spécifique	12 %
Cuisson	7 %

Des pratiques de plus en plus favorables à l'environnement

Tout n'est pas perdu : nous sommes en progrès – encore insuffisant mais constant ! Pour preuve, les mesures de l'Institut français de l'environnement sur la proportion de ménages qui agissent [4] :

	1998	2005
Tri régulier du verre usagé pour le recyclage	64 %	77 %
Tri régulier des piles usagées pour le recyclage	24 %	73 %
Tri régulier des vieux papiers, journaux et magazines pour le recyclage	36 %	71 %
Tri régulier des emballages et des plastiques pour le recyclage	20 %	71 %
Arrêt systématique de la veille de la télévision	–	69 %
Apport d'un cabas à roulettes, d'un panier ou de sacs pour faire les courses	–	63 %
Équipement d'une part importante des luminaires en ampoules basse consommation	–	15 %

3. Source : CEREN, *Les Chiffres clés du bâtiment*, 2002, ADEME (Agence de l'environnement et de la maîtrise de l'énergie).
4. Source : INSEE, enquête permanente sur les conditions de vie « Pratiques environnementales des ménages », janvier 2005. Pour en savoir plus :
• sondage IFOP sur les Français et l'environnement publié en octobre 2006, www.ifop.com/europe/docs/francais_environnement.pdf ;
• les dix indicateurs clés de l'Ifen : www.ifen.fr.

Au salon

Le salon est, par excellence, la pièce de la détente, du confort et des plaisirs en famille ou entre amis : partager un bon repas, se lover dans le canapé pour regarder un film en caressant le chat, ou encore s'installer dans son fauteuil pour lire son magazine préféré sous un plaid...
Nous n'avons pas d'excuses : rien qu'entre l'éclairage et le chauffage, il existe des centaines de pistes d'économies d'énergie dans cette pièce au cœur de notre vie sociale...

Gare à la boulimie d'électricité

« Un sourire coûte moins cher que l'électricité,
mais donne autant de lumière. »

Abbé Pierre

Notre consommation électrique continue à augmenter (+ 2 % en 2006), contrairement à celle des entreprises qui contrôlent désormais mieux leurs dépenses. La lutte pour économiser l'énergie dans une maison concerne de nombreux volets de notre vie quotidienne. Il existe trois voies de progression :

- réduire nos besoins ;
- réduire la dispersion énergétique ;
- consommer mieux pour optimiser notre consommation d'énergie.

Souvenez-vous. Le 1er février et le 23 octobre 2007, les Français étaient appelés par un collectif d'associations environnementales à éteindre leur éclairage et leurs appareils électriques en veille entre 19 h 55 et 20 heures. L'opération, baptisée « 5 minutes de répit pour la planète », a porté ses fruits : on a observé une chute brutale de la consommation d'électricité d'environ 800 MW, soit une baisse de plus de 1 % de la consommation totale en France, équivalente à la consommation d'une ville comme Marseille (3 millions de ménages). Un réflexe de modération à acquérir ! Suivez le guide...

Clin d'œil
Vous payez un abonnement dans un club de gym Pilates ou pratiquez l'aquagym tous les jeudis et, dans le même temps, vous continuez à prendre l'ascenseur ? Prenez plutôt l'escalier !

L'éco-éclairage

« Le peu, le très peu que l'on peut faire, il faut le faire quand même. »
Théodore Monod

L'éclairage représente en moyenne 10 % de la facture d'électricité d'un ménage français [5]. Si trois Européens sur quatre économisaient trois minutes de lumière chaque jour, il paraît que nous économiserions un réacteur nucléaire chaque année !

Et si nous profitions davantage de la lumière du jour ? C'est un éclairage gratuit ! La lumière naturelle est à consommer sans modération : la proximité d'une fenêtre est idéale pour installer un coin à vivre avec un fauteuil pour lire et se délasser ou un bureau. Elle a, en plus, des effets très positifs sur notre moral ! Pensez à privilégier l'éclairage direct.

Comment valoriser la lumière du jour ?

- En utilisant des couleurs claires, en particulier sur les plafonds ; elles réfléchissent mieux la lumière.
- En orientant les meubles de façon à éviter les ombres portées gênantes sur un bureau ou sur le fauteuil d'un coin lecture. Le mieux est l'éclairage naturel par le haut (vasistas) : il est uniforme et encore plus efficace.
- En évitant les rideaux ou les doubles rideaux qui interceptent une partie de la lumière.
- En installant le plan de travail, l'évier de la cuisine ou le bureau sous une fenêtre.

5. CEREN, 2003.

Vous pouvez réduire votre demande globale en énergie en concentrant la lumière là où vous en avez besoin au lieu d'éclairer une pièce entière. De même, il est inutile d'ajouter des lampes d'appoint : adaptez la puissance de la lumière à votre activité. Ainsi, l'éclairage d'une petite lampe suffit pour regarder la télévision par exemple, et l'éclairage d'un plafonnier bénéficiera à tous les occupants de la pièce. Vous pouvez aussi décorer la maison dans une perspective de clarté. Qu'il fait bon être chez soi...

Une idée brillante : éteindre les lumières inutiles

Pourquoi laisser la lumière de la cuisine allumée pendant que vous regardez la télévision ? Voilà un gaspillage d'énergie facile à éviter ! Trois ampoules de 75 W qui restent allumées une soirée consomment autant qu'une lessive à 60 °C. Éteignez les lumières chaque fois que vous quittez une pièce ou que vous n'en avez pas besoin, même pour quelques minutes. À mettre en pratique sans délai !

Quand on le sait, on ne peut plus l'oublier !

- **Afin que vos ampoules ne surchauffent pas, dépoussiérez-les. Vous améliorerez de 40 % leur flux lumineux. De même, pensez à nettoyer régulièrement les vitres : la poussière et la saleté qui s'y déposent empêchent une partie des rayons de passer.**
- **N'abusez pas des abat-jour et privilégiez, au moins, une teinte claire. Sombres, ils peuvent absorber 50 à 80 % de la lumière, obligeant à multiplier les sources lumineuses.**

Comment choisir ses ampoules ?

Pour se repérer, rien de plus simple.

Il y a deux grands types d'ampoules à la disposition du consommateur :

- les ampoules à incandescence (ampoules classiques et halogènes) ;
- les ampoules fluorescentes (tubes « fluo » et ampoules basse consommation).

L'électricité que les ampoules consomment est transformée en lumière et en chaleur. Or, les ampoules à incandescence produisent beaucoup de chaleur (90 %) et peu de lumière (10 %). Leur efficacité énergétique est bien plus faible que les ampoules fluorescentes : ces dernières produisent environ 80 % de lumière et 20 % de chaleur. Pour une fois, le choix n'est pas bien difficile à faire ! Et il sera tout autant écologique qu'économique. En effet, remplacer ses ampoules à filament traditionnelles et ses halogènes par des ampoules basse consommation permet d'alléger ses factures d'électricité de façon spectaculaire !

Les ampoules basse consommation consomment cinq fois moins d'électricité et durent jusqu'à dix fois plus longtemps que les ampoules à incandescence.

De plus, durables et économes, elles éclairent davantage qu'une ampoule à incandescence. Certes, les ampoules basse consommation sont plus chères à l'achat, mais elles se révèlent rentables à l'usage : la différence de prix est compensée en quelques mois d'utilisation. Vraiment, elles ont tout pour elles – à part, pour l'instant, leur côté pas très déco !

À savoir

L'ampoule basse consommation est considérée comme un déchet dangereux (elle contient en moyenne 20 mg de mercure). Il est recommandé de ne pas jeter les tubes avec les ordures, mais de les remettre dans leur emballage d'origine et de les déposer dans un centre de récupération des déchets ménagers dangereux ou de les conserver jusqu'à la collecte de ces déchets dangereux par la municipalité.

LES ÉQUIVALENCES EN TERMES DE LUMINOSITÉ

AMPOULE CLASSIQUE	AMPOULE BASSE CONSOMMATION
40 W	9 W
100 W	20 W
75 W	15 W
60 W	11 W

Où mettre des ampoules basse consommation dans la maison ?

Pour un meilleur confort visuel, choisissez la puissance de l'ampoule en fonction de son usage et adaptez les points lumineux à chaque utilisation.

Les ampoules basse consommation, qui réclament quelques secondes après l'allumage pour être pleinement efficaces, doivent être installées dans les pièces les plus régulièrement et longtemps éclairées, de préférence là où elles restent longtemps allumées : coin lecture, coin repas, salon, cuisine... Elles ont par ailleurs un nombre de cycles marche/arrêt limité : on évitera donc les endroits où l'on allume et éteint souvent la lumière, même pour un court moment (minuterie, extérieur, couloir, W-C...), ainsi que les luminaires équipés de variateur.

Les ampoules à basse consommation seraient à l'origine de rayonnements radioélectriques relativement élevés à courte distance. La technique des ballasts électroniques présente dans le culot des lampes basse consommation en est la cause. Or, pour l'heure, le blindage électromagnétique du culot par les fabricants n'est pas encore à l'ordre du jour. On évitera donc – tout particulièrement les personnes appareillées d'implants ou de prothèses médicales – de les mettre sur la lampe de chevet ou sur le bureau.

Dans les couloirs, les caves ou à l'extérieur

Lorsque les surfaces à éclairer sont importantes, remplacez les interrupteurs par des détecteurs de présence (dont la durée de vie est de quelques années) ou des minuteries (dont le réglage reste, selon les modèles, à vérifier régulièrement). Préférez toujours des éclairages à base de tubes fluorescents.

Bien éclairer son bureau

Pour travailler sans trop vous fatiguer les yeux, prévoyez :

- une source centrale et douce de lumière par un plafonnier ;
- une lumière concentrée au-dessus de votre surface de travail grâce à une lampe flexible et orientable ;
- si cette lampe est sur le côté, placez-la à gauche pour un droitier ou à droite pour un gaucher ;
- si vous travaillez sur ordinateur, éclairez le mur derrière lui pour réduire les contrastes.

Oser les lampes à induction

Dotées d'un fort pouvoir lumineux, les lampes à diodes électroluminescentes (LED) sont encore plus économiques et plus résistantes que les ampoules basse consommation. Ces diodes ont une longévité de 100 000 heures (on parle de trente ans à raison de 8 heures d'utilisation par jour !) et consomment moins de 2 W.

Pourquoi les LED ont-elles une telle puissance lumineuse avec une si faible consommation ? Tout simplement parce qu'elles ne gaspillent pas d'énergie sous forme de chaleur dégagée. Malheureusement, elles sont encore chères à produire, du fait du coût des matériaux semi-conducteurs. Prenez votre mal en patience et restez vigilant sur le sujet, les laboratoires de recherche travaillent pour en baisser le prix.

DURÉE DE VIE POUR 4 HEURES D'ÉCLAIRAGE PAR JOUR	
Ampoules à incandescence	1 an
Ampoules basse consommation	6 ans
LED	60 ans

Quand on le sait, on ne peut plus l'oublier !

Penser recyclage, c'est préférer les ampoules vendues dans des emballages en carton à celles vendues sous blister.

⁘ Les lampes halogènes : à proscrire

Les lampes halogènes, parmi les plus consommatrices en électricité, sont présentes dans 41 % des foyers. Pourtant, une ampoule halogène de 500 W allumée pendant une heure consomme la même quantité d'énergie que 25 ampoules basse consommation de 20 W utilisées pendant une heure !

Pour ceux qui n'envisagent pas de changer tout de suite leurs halogènes, sachez que certains types de lampes halogènes (avec couche infrarouge réfléchissante ou aux halogénures métalliques) offrent des rendements nettement supérieurs aux halogènes classiques :

- Une lampe halogène classique de 50 W remplacée par une lampe halogène avec couche infrarouge réfléchissante permet une économie de 30 % d'énergie.
- Une lampe halogène classique de 300 W remplacée par une lampe halogène aux halogénures métalliques permet une économie de 75 %.

L'Australie veut interdire l'utilisation des ampoules traditionnelles à partir de 2010. Et l'Europe dès 2015...

L'ampoule à incandescence doit progressivement être échangée contre des ampoules néon, plus économiques. « Les petits pas comptent et peuvent avoir un impact considérable », a affirmé le ministre australien de l'Environnement, Malcolm Turnball. Cependant, l'Australie, comme les États-Unis, n'a pas ratifié le protocole de Kyoto pour des raisons économiques. Dans ce contexte, les écologistes disent que l'interdiction des ampoules n'est qu'une goutte d'eau ! Certes, mais chaque petit pas compte...

Multimédia et informatique

Clic-clic, pomme A, control alt... L'homme moderne est un homme connecté. La micro-informatique et son cortège d'accessoires (imprimante, photocopieur, modem, Webcam, téléphones portables, sans fil, fax...) ont conquis les espaces de travail et sont aussi de plus en plus présents à la maison. Leur part dans la consommation électrique moyenne des ménages est celle qui affiche aujourd'hui la croissance la plus spectaculaire...

La multiplication de ces matériels, en général pourvus de veilles, n'est pas sans conséquence. **Un seul label,** pour l'heure, peut guider dans les achats : **le label Energy Star** sur un équipement informatique indique qu'il est économe en énergie aussi bien en fonctionnement qu'en veille [6].

Bien utiliser son ordinateur

- 20 heures par semaine, soit 4 heures par jour, devrait être la durée maximale d'exposition devant l'ordinateur.
- L'écran doit être perpendiculaire et à une distance d'un à deux mètres de la fenêtre.
- Entre vous et l'écran, mettez une distance équivalente à la longueur d'un bras.
- Une source lumineuse doit éclairer derrière l'écran.

La chasse aux « lumières rouges »

C'est le comble : les appareils électriques finissent par consommer davantage « éteints » qu'allumés ! Chaîne hi-fi, magnétoscope, lecteur DVD, décodeur, téléviseur, ordinateur, antenne parabolique... tous ces appareils électriques restent en effet souvent branchés 24 heures sur 24.

Éteindre tout à fait son téléviseur plutôt que le mettre en veille permet de réaliser 19 % d'économie. En revanche, le laisser en veille toute la journée équivaut à regarder deux films ! Cette consommation cachée est très nette avec certains appareils qui ne fonctionnent pas longtemps : ainsi, un magnétoscope utilise plus de 90 % de sa consommation électrique annuelle... quand il ne marche pas !

Les divers modes veille peuvent représenter jusqu'à 10 % de la consommation électrique des particuliers, tout en étant facilement évitables. La chasse aux « lumières rouges » est un impératif bien peu contraignant.

---

6. Vous pouvez consulter la base de données Energy Star sur www.eu-energystar.org.

CONSOMMATION EN MODE VEILLE	
Téléviseur	8 à 15 W
Lecteur DVD, magnétoscope	5 à 20 W
Décodeur	10 à 15 W
Parabole	15 à 20 W
Chaîne hi-fi	0 à 20 W
Modem	5 à 10 W

Moralité ? Coupez toutes vos veilles. Pensez-y systématiquement en cas d'absence prolongée. Les petits ruisseaux font les grandes rivières...

Astuce : la multiprise à interrupteur

Branchez tous vos appareils (téléviseur, magnétoscope, chaîne...) sur des multiprises à interrupteur. Un simple clic et tout s'éteint ! Hormis pour le modem, faites de même avec la bureautique (ordinateur, imprimante...). L'achat sera amorti en quelques semaines grâce aux économies d'électricité.

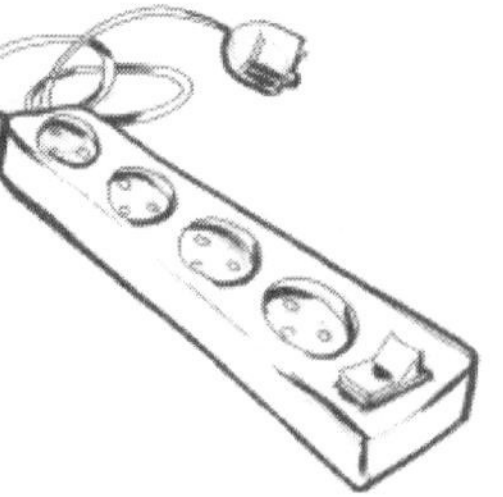

···› Les différents types d'équipements sont loin d'avoir des consommations comparables !

L'imprimante à jet d'encre, qui consomme très peu en fonctionnement et n'a pas besoin de préchauffage, consomme moins d'énergie que l'imprimante laser. De plus, il est totalement inutile de la laisser allumée entre deux impressions, puisqu'elle n'a pas besoin de préchauffage.

Le photocopieur le plus sobre est le modèle thermique. À la maison, il n'est pas très utile de se doter d'un modèle rapide qui consomme davantage.

Les modems internes consomment moins que les modems externes, qui doivent rester sous tension en permanence.

Les équipements multifonctions consomment moins que la somme des appareils qu'ils remplacent : une imprimante qui sert aussi de scanner, de fax et de photocopieur consomme 50 % de moins en énergie que la somme de ces appareils séparés.

···› Débranchez les chargeurs !

Combien de fois le chargeur de téléphone reste branché sans téléphone au bout ? Ce chargeur tout seul consomme plus que le téléphone portable lui-même ! Il faut le débrancher après chaque chargement, ce qui vous permet de limiter considérablement sa consommation d'énergie. Il en va de même pour les batteries de votre ordinateur portable. Au-delà de ce qui est nécessaire, laisser un chargeur branché est totalement inutile et très coûteux en énergie !

L'économe ordinateur portable

La solution la plus économique est incontestablement l'ordinateur portable. Tout compris (écran + unité centrale), sa puissance est en moyenne de 25 W. Il consomme 50 à 80 % d'énergie en moins qu'un poste fixe.

Ceux qui trouvent cela inconfortable pour travailler ou communiquer peuvent opter pour une « station d'accueil » en connectant un écran plat de 17 pouces et un clavier sur l'ordinateur portable. L'avantage est qu'on bénéficie de la faible consommation du portable et du confort de la station (écran et clavier).

Attention aux mythes informatiques

« L'économiseur d'écran économise de l'énergie. »

La fonction de l'économiseur d'écran est d'épargner l'écran afin d'augmenter sa durée de vie, pas d'économiser de l'énergie. Certes, il consomme un peu moins d'énergie qu'en mode actif (surtout s'il est fixe et de couleur sombre)... mais beaucoup plus que l'économiseur d'énergie !

Ne confondez pas économiseur d'écran et économiseur d'énergie. Ce dernier assure une importante économie d'énergie lorsque l'ordinateur est en mode veille. **Attention : la plupart du temps, c'est à vous d'activer ce mode...** Il est conseillé de paramétrer l'arrêt d'écran après 10 minutes d'inactivité et l'arrêt total de l'unité centrale après 20 minutes d'inactivité. Cette simple mesure entraîne une réduction de consommation de l'écran (en moyenne de 60 %) et de l'unité centrale (de 51 %).

« Éteindre et allumer constamment son ordinateur accélère l'usure de l'appareil. »

L'ordinateur s'usera plus vite s'il reste allumé tout le temps que s'il est éteint. Tous les composants travaillent lorsqu'il est allumé, alors que seul l'interrupteur fonctionne lorsque vous l'éteignez et le rallumez.

Les écrans

Quid des écrans plats ?

En 2006, il s'est vendu en France autant de téléviseurs à écran plat que d'écrans à tube cathodique. À taille égale, un écran plasma consomme plus d'énergie qu'un écran à tube cathodique classique, qui, lui-même, consomme plus d'énergie qu'un écran LCD (à cristaux liquides). Ces derniers sont comparés à des convecteurs électriques ! Par ailleurs, il faut savoir que les écrans plats (plasma ou LCD) consomment plus d'énergie quand ils sont de grandes dimensions. Avec le home cinéma , la consommation d'énergie de la télévision peut être multipliée par quatre [7] !

Les écrans plats (LCD) sont pratiquement les seuls à bénéficier du label Energy Star. Leurs avantages ne s'arrêtent pas là : ils ne dégagent pas de chaleur, sont peu encombrants et durent longtemps. Les écrans plats à cristaux liquides consomment 60 % d'énergie en moins, en mode « marche », que les écrans à tube cathodique.

Des écrans toujours plus grands

Les téléviseurs et les écrans bureautiques sont saisis de la folie des grandeurs ! Et leur prix baissant régulièrement, ils sont de plus en plus accessibles financièrement. Un ordinateur avec un écran cathodique de 21 pouces va consommer, en moyenne, presque deux fois plus que si vous vous contentez d'un écran de 17 pouces qui, lui-même, consomme en moyenne deux fois plus qu'un 15 pouces. Les grands écrans sont meilleurs pour la vue mais moins bons pour le porte-monnaie et la planète ! Difficile de choisir...

Le sevrage télévisuel

Les Français regardent aujourd'hui la télévision plus de 3 heures par jour en moyenne. Le taux d'équipement des foyers est de 97 %. Pour ceux qui n'arrivent pas à s'en passer, l'association Les Pieds dans le Paf [8] organise tous les ans la « semaine sans télé », pour un sevrage en douceur.

Sans aller jusque-là, il est important de *consommer* la télévision de manière intelligente, c'est-à-dire de :

- choisir ses programmes ;
- l'éteindre quand il n'y a plus rien d'intéressant ;
- contrôler (et restreindre) son usage par les enfants et les adolescents ;
- avoir une vue « critique » de l'information prodiguée et avoir recours à d'autres moyens d'information (presse écrite, Internet...).

7. Source : http://fr.ekopedia.org.
8. Les Pieds dans le Paf se veulent acteurs du PAF et actifs pour que les citoyens se réapproprient leur premier média d'information et de divertissement : www.piedsdanslepaf.org/.

Un déchet de plus !

La télévision fait partie des déchets d'équipements électriques et électroniques. Elle ne doit pas être jetée n'importe où. En France, les revendeurs sont tenus de reprendre votre vieux poste de télé lors de l'achat d'un neuf. Si, si !

Se chauffer sans réchauffer la planète

« *De toutes les sources d'énergie,*
la chaleur humaine est la moins coûteuse... »
Anonyme

« *Ne te sers pas de la technologie*
comme d'un substitut à la chaleur humaine. »
Doc Childre and Bruce Crye

Le chauffage représente 69 % de la consommation énergétique de la maison [9]. Sa gestion mérite toute notre attention. Car en la matière, nos réflexes ne sont ni économiques ni écologiques. Combien d'entre nous sont en tee-shirt à la maison par une température de 0 °C dehors et augmentent le chauffage pour avoir bien chaud, le plaid posé sur le canapé n'est pas seulement destiné à la décoration.

···> Limitez la température

Ne surchauffez pas votre habitation ! 19 °C suffisent amplement dans les pièces à vivre (16° C dans les chambres). Dans les pièces inoccupées, baissez encore davantage. Un degré de moins, c'est peut-être un pull en plus, mais cela représente 7 % de consommation en moins.

N'oubliez pas d'éteindre les radiateurs électriques quand vous aérez la pièce (10 minutes suffisent).

Vos convecteurs électriques ne chauffent pas plus vite si vous les poussez à fond. En revanche, ils ne s'arrêtent pas une fois la pièce à la bonne température et l'air finit par être surchauffé !

Si vous avez la chance d'avoir une cheminée, ne vous privez pas de flambées ! Le bois est un combustible renouvelable et peu cher. Et si vous ajoutez un insert à votre cheminée, le rendement n'en sera que meilleur (voir *Faites des feux de cheminée*, p. 31).

9. Chiffres CEREN, ADEME.

Quand on le sait, on ne peut plus l'oublier !

Baisser le chauffage lorsque l'on sort quelques heures doit devenir un réflexe. Si votre absence doit durer plusieurs jours, prenez soin de mettre vos radiateurs en position hors-gel (8 °C en général).

···› Consommez moins sans changer de radiateur

Les thermostats d'ambiance

Il faut bien moins d'énergie pour maintenir constamment une température élevée que pour réchauffer une pièce froide ! Le thermostat d'ambiance, installé dans une pièce à vivre (séjour, salle à manger), permet de maintenir un logement à température constante. Vous consommerez jusqu'à 10 % de moins avec un système de régulation (qui commande le chauffage en fonction d'une température choisie) et moins encore avec une horloge de programmation (qui réduit automatiquement la température quand les besoins sont moins importants, la nuit ou quand la maison est vide). La programmation permet de faire des économies supplémentaires de 10 à 20 %, même si vous avez déjà un thermostat d'ambiance.

Le robinet thermostatique

C'est un bon complément pour consommer moins d'énergie. Dans le cas d'une installation comportant des radiateurs à eau chaude, ils se règlent automatiquement en tenant compte du type d'occupation de la pièce (chambre ou séjour), du nombre de personnes dans la pièce et des apports de chaleur « gratuits » (feu de cheminée, exposition sud, ensoleillement, appareil de cuisson...). Ils doivent être placés dans une autre pièce que le thermostat d'ambiance.

Les panneaux réfléchissants

Astuce WWF : placez des panneaux réfléchissants derrière les radiateurs. Ils renverront mieux la chaleur.

···› Les énergies renouvelables

Privilégiez le naturel ! Le chauffage domestique est un domaine de grande créativité ! Les préoccupations environnementales et économiques poussent à utiliser de nouvelles formes d'énergie et les progrès techniques autorisent les supports muraux et au sol. Nous n'abordons que les énergies les plus accessibles, le solaire thermique et le bois. Il existe aussi l'éolien ou encore la géothermie. Consultez des ouvrages plus spécialisés.

L'avantage du solaire thermique (chauffage de l'eau chaude et de la maison)

Gros investissement, il est amorti en 7 à 10 ans. Le matériel ayant une durée de vie de 20 ans en moyenne, le jeu en vaut la chandelle, d'autant qu'il peut couvrir une bonne partie de vos besoins énergétiques [10] : 40 à 70 % de l'eau chaude sanitaire et 20 à 40 % de votre chauffage. Un chauffage d'appoint reste nécessaire... En plus, l'ADEME (Agence de l'environnement et de la maîtrise de l'énergie) garantit la qualité et subventionne une partie des travaux dans le cadre du plan Soleil...

Le bois [11]

En France, plus de six millions de maisons sont équipées d'un chauffage au bois. Optez pour un poêle, un insert (placés dans la cheminée, ils chauffent autant mais gaspillent moins de bois) ou une chaudière à bois. Les foyers fermés de type insert, à récupérateur de chaleur, constituent la solution incontournable pour ne pas voir 75 % des calories filer avec la fumée. La combustion du bois ne contribue pas à l'effet de serre, car la quantité de CO_2 qu'il libère en brûlant est la même que celle absorbée pendant sa croissance. Le chauffage au bois se révèle plus intéressant encore si vous habitez non loin d'une réserve forestière pour diminuer les coûts de transport... Faites toujours brûler du bois certifié « NF Environnement » (garantie de performance).
Un appareil de chauffage labellisé « Flamme verte [12] » économise 30 % de bois de chauffage par rapport à un appareil classique. Ce label concerne les inserts, les foyers fermés et les poêles fonctionnant au bois.

Faites des feux de cheminée

Il est conseillé d'utiliser du bois très sec : humide, il favorise la condensation et le dépôt des goudrons sur les parois de la cheminée.
Assurez-vous que votre cheminée n'est pas obstruée par des nids ou d'autres obstacles restant accrochés aux parois. Faites-la ramoner tous les ans. Sans ramonage, les résidus imbrûlés ont du mal à s'évacuer.

10. Pour en savoir plus : Énergie solaire de France, 0 800 003 040 (numéro vert).
11. Claude Aubert, *Poêles, inserts et autres chauffages au bois*, Terre vivante.
12. Label Flamme verte : 0 810 060 050 (numéro azur), ADEME, ou www.flammeverte.com.

Un feu de bois doit être remué avant d'être laissé pour la nuit, afin qu'il puisse brûler complètement.
On doit toujours garder une fenêtre légèrement ouverte quand un feu de bois est allumé.

Le crédit d'impôt : un vrai catalyseur

Depuis le 1er janvier 2005, le crédit d'impôt pour les dépenses d'équipements à énergies renouvelables dans l'habitat principal est passé de 15 % à 40 %. Cette mesure fiscale accessible à tous (que l'on soit imposable ou non) est complétée par des aides locales. En effet, un grand nombre de collectivités territoriales (la quasi-totalité des conseils régionaux et certains conseils généraux et communes) continuent de s'associer au développement du chauffe-eau solaire en versant aux particuliers des primes directes de 700 € en moyenne.

Sécurité et chauffage

Le chauffage d'appoint

Comme son nom l'indique, un chauffage d'appoint au fuel ou au gaz doit être utilisé de façon intermittente. Et jamais la nuit. Le danger provient des appareils mal entretenus, qui dégagent des produits de combustion toxiques pour l'organisme. L'un d'eux, le monoxyde de carbone, inodore, provoque l'asphyxie par inhalation. Tous les ans, des personnes en meurent... Avant toute mise en route d'un appareil, vérifiez son état (nettoyage, ramonage) et les aérations de la pièce.

Entretenir les appareils de chauffage

Pour garantir la sécurité, la fiabilité et la longévité d'une chaudière, il est recommandé de souscrire un contrat d'entretien avec une société agréée. Une chaudière régulièrement entretenue, c'est 8 à 12 % d'énergie consommée en moins. La faire vérifier une fois par an est exigé par les assureurs.
De même, il est conseillé de purger régulièrement les radiateurs afin qu'ils conservent toute leur efficacité.

Les réservoirs de mazout

Un seul litre de mazout peut contaminer deux millions de litres d'eau.
Inspectez régulièrement votre réservoir de mazout et surveillez le niveau du mazout et vos habitudes de consommation pour détecter toute fuite. Il faut, évidemment, la faire réparer au plus tôt. Glissez une feuille de plastique sous le réservoir, de manière à pouvoir repérer les fuites.

Les poêles à bois

- Ne brûlez que du bois qui a séché pendant au moins six mois.
- Quand vous placez les bûches dans le poêle, ne les tassez pas les unes contre les autres.
- Utilisez peu de bûches et jetez-en plus souvent sur le feu au lieu de trop charger le poêle.
- Ne faites jamais brûler d'ordures ménagères ni d'autres objets que du bois.
- S'il y a peu ou pas de vent, évitez de faire du feu. Sinon, utilisez moins de bois.
- Enlevez souvent les cendres pour éviter d'obstruer les prises d'air.

Isoler son logement

Empêcher la chaleur de s'échapper est une façon économique de se chauffer : l'isolation d'un logement réalisée avec soin peut réduire la consommation de chauffage par trois. Ce n'est pas rien...

ÉCONOMIES D'ÉNERGIE OBTENUES PAR L'ISOLATION	
Toit et murs	10 à 30 %
Fenêtres à double vitrage	10 % en moyenne
Planchers au-dessus du garage ou du vide sanitaire	5 à 10 %

Avant de vous lancer dans des travaux parfois complexes et coûteux, commencez par le b.a.-ba : vérifier les joints ! Afin d'empêcher les fuites importantes de calories, il suffit en effet souvent d'utiliser des solutions toutes simples : les joints d'étanchéité des fenêtres (les adhésifs sont faciles à poser et économiques), les rideaux et les tentures sont ainsi des isolants très efficaces.

Attention : une maison bien isolée doit aussi être bien ventilée, sinon des problèmes d'humidité et de qualité de l'air peuvent surgir.

On peut aussi :

- Soit opter pour des modes de construction isolants (béton cellulaire, brique creuse alvéolaire Monomur, maison à ossature et composants bois).
- Soit renforcer l'isolation des autres modes avec des moyens classiques tels que :

– le doublement des parois, des sols et des sous-toitures avec de la laine minérale

ou des isolants naturels comme la laine de chanvre et les panneaux de fibres de bois (en privilégiant les isolants naturels renouvelables, donc non consommateurs d'énergie à la production) ;
– le calfeutrage des huisseries par des joints et/ou l'utilisation d'huisseries isolantes à double vitrage intégré à la fabrication.

N'oubliez pas que le ballon d'eau chaude et les canalisations sanitaires font également partie des éléments à isoler thermiquement, surtout s'ils sont situés dans un local non chauffé.

Le double vitrage

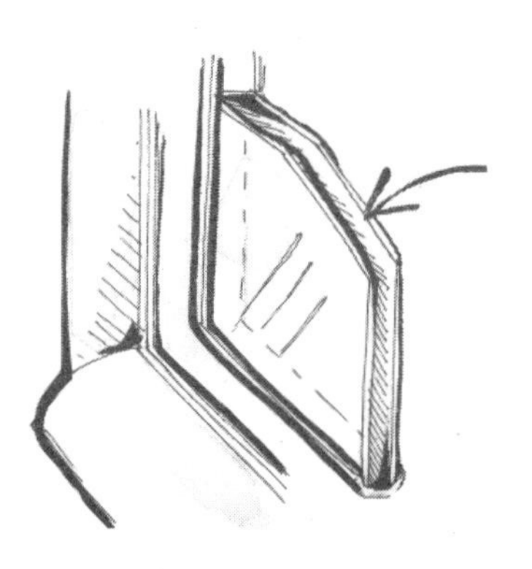

Les fenêtres à double vitrage améliorent le confort, notamment acoustique, et réduisent de 10 à 15 % les pertes de chaleur en hiver et celles de fraîcheur en été.
La norme actuelle du vitrage standard est un vitrage 4/16/4 (4 mm de verre, 16 mm d'air, 4 mm de verre), avec un traitement spécial permettant d'éviter les déperditions de chaleur (vitrage faiblement émissif). Ce vitrage permet une très bonne isolation (déperditions faibles), et ses performances peuvent encore être améliorées lorsqu'on ajoute du gaz argon entre les deux verres. L'argon, plus isolant que l'air car plus lourd, renforce ainsi l'efficacité thermique du double vitrage mais le rend aussi plus cher. Les vitrages les plus performants sont incontestablement les VIR (vitrages à isolation renforcée).

Astuce économique : pour un survitrage à faible coût,

Pensez à coller des films thermorétractables sur vos vitres (disponibles dans les magasins de bricolage).

Des aides financières

Renseignez-vous sur les aides financières (crédit d'impôt en particulier) qui peuvent accompagner les achats de matériaux d'isolation, de chaudières performantes ou d'équipements de régulation et de programmation du chauffage. Depuis le 1er janvier 2005, un crédit d'impôt de 25 % (ou la somme correspondante en cas d'exonération) est alloué aux personnes faisant l'acquisition d'un appareil visant à réguler le chauffage.

Aérer

Les économies d'énergies et l'isolation sont nécessaires, mais, à force de se calfeutrer, on finit par oublier que notre intérieur doit respirer ! En effet, l'humidité, les polluants et les poussières guettent. Heureusement, dix minutes par jour, toutes fenêtres ouvertes (en éteignant ses appareils de chauffage), suffisent à renouveler entièrement l'air d'une pièce.
Dans les logements antérieurs aux années 1970, la ventilation se fait bien souvent par des grilles d'aération. Elles sont situées dans la cuisine, la salle de bains et les toilettes. C'est le système de ventilation de base. L'air chaud, et chargé de polluants, sort de la maison par la grille du haut, l'air extérieur y entre par la grille du bas. Ne recouvrez jamais ces grilles, même en hiver. Dépoussiérez-les et lavez-les régulièrement.

Dans un logement, l'air libre circule des pièces sèches (salon, chambre) vers les pièces humides (cuisine, salle de bains...). Il est donc impératif de laisser les portes intérieures ouvertes, de façon que l'air soit naturellement brassé (en particulier après usage de la salle de bains et de la cuisine).

Bien choisir ses matériaux de construction

Vous avez dit air pur ? Pour les murs, optez pour la brique de terre cuite alvéolée et les ossatures bois plutôt que pour les parpaings ou le béton. Pour l'isolation, choisissez le chanvre, le liège ou le lin plutôt que la laine de verre ou de roche : contrairement à ces dernières, ces isolants végétaux n'émettent pas de particules toxiques ou irritantes. Pour votre intérieur, préférez le parquet aux moquettes trop épaisses qui freinent le passage de l'air. Enfin, évitez les parquets vitrifiés, les murs tapissés de tissus.

Un logement bien aéré au centre de Paris est bien moins pollué qu'une maison mal ventilée au fin fond de la Lozère.

Il suffit d'y penser...

- Il vaut mieux aérer en grand pendant dix minutes (en éteignant le chauffage, cela va de soi...) qu'entrebâiller sa fenêtre pendant une longue durée. Avec cette seconde méthode, le renouvellement de l'air sera insuffisant, et la pièce et son mobilier se refroidiront durablement, entraînant un gaspillage de chauffage.

• Aérez quand l'air extérieur n'est pas trop pollué. Chaque saison connaît ses pics de pollution. En été, ouvrez les fenêtres entre le lever du soleil et 11 heures du matin puis le soir entre 22 heures et minuit. Évitez l'après-midi. En hiver, ouvrez le matin jusqu'à 10 heures.

···❥ Pour désodoriser, pensez au papier d'Arménie

Le célèbre papier d'Arménie vaut mieux que les aérosols pour désodoriser son intérieur. Il est fabriqué à base de benjoin du Laos, réputé depuis l'Antiquité pour ses vertus antiseptiques (entre autres !). Il enlève aussi les odeurs tenaces – et nocives – comme celles du tabac. Le papier buvard qui sert à fabriquer le papier d'Arménie est certifié par le FSC, organisme international indépendant qui agit pour une gestion forestière responsable à l'échelle mondiale.

···❥ Climatisation or not ?

L'envie de bénéficier d'un habitat confortable en toutes circonstances, ainsi que le manque d'idées dans la façon de se protéger efficacement des fortes chaleurs, conduisent de plus en plus de particuliers à équiper leur logement de climatiseur. Leur durée d'utilisation est, en moyenne, de moins d'un mois par an.

D'une part, se passer de climatiseur, c'est avant tout éviter l'émission de gaz à effet de serre. La climatisation génère, d'autre part, des risques sanitaires (notamment pour les personnes âgées). Enfin, il ne faut pas oublier de prendre en compte ses coûts d'investissement et de fonctionnement. La facture d'électricité est en effet salée : 25 % de plus pour un deux-pièces avec un climatiseur banal.

Comment se repérer dans la multitude des climatiseurs [13] ?

Souvent acheté dans l'urgence lors d'une vague de chaleur, auprès de non-professionnels de la climatisation, le climatiseur ne répond pas toujours de façon satisfaisante aux conditions particulières de votre logement.

13. Source : fiche de l'ADEME. Pour en savoir plus sur la ventilation, les pompes à chaleur et le plancher chauffant, rafraîchissant, consultez les guides pratiques de l'ADEME nos 3672 et 4288.

Les systèmes individuels unitaires. Ce sont des appareils de taille relativement réduite. Un appareil climatise une seule pièce, mais il faut impérativement disposer d'une fenêtre ou d'une ouverture à proximité de l'appareil. On en distingue deux catégories :

• les monoblocs sont en général des produits peu coûteux, mais peu puissants et bruyants ; leur efficacité est limitée à de petites pièces ;

• les split-systèmes sont moins bruyants pour l'utilisateur que les monoblocs : la partie la plus sonore est à l'extérieur. Cet avantage peut devenir un inconvénient pour les voisins.

Monoblocs et split peuvent être mobiles ou fixes. Les « climatiseurs mobiles », s'ils sont les moins coûteux et ne nécessitent pas d'installation, sont aussi les moins fiables, les moins performants et les plus « énergivores ». Les climatiseurs fixes nécessitent une installation. Il faut faire appel à un spécialiste qui vous conseillera sur l'emplacement, la nature, la puissance de votre matériel, en fonction de vos besoins.

Attention à ce que l'on vous vend ! Certains climatiseurs individuels assurent une fonction « chauffage », soit parce qu'ils sont réversibles, soit parce qu'ils sont équipés de résistances chauffantes. Ils ne sont pas forcément adaptés aux besoins de chauffage d'hiver et sont très gourmands en énergie.

Les systèmes « centralisés » pour un logement. Ils climatisent la totalité d'un logement et représentent un investissement important. Ils nécessitent l'intervention de spécialistes compétents. Ils sont souvent réversibles. Les principaux systèmes proposés sont :

• Le multi-split, qui peut être installé dans un logement déjà construit. Il vous permet aussi un équipement progressif, en fonction de vos disponibilités financières.

• Les pompes à chaleur réversibles, qui peuvent alimenter :

– soit des ventilo-convecteurs ;

– soit un plancher rafraîchissant/chauffant (la température ne doit pas être trop fraîche à sa surface pour éviter la condensation sur le sol) ;

– soit un réseau de gaines (ou climatisation centralisée à air). Coûteux mais performant, il assure aussi la ventilation et le renouvellement d'air du logement.

Les deux derniers systèmes ne peuvent être installés qu'en cours de construction ou lors d'une rénovation lourde.

Attention aux impacts sanitaires de la climatisation !

Des risques sanitaires d'ordre infectieux, ORL ou respiratoire apparaissent lorsque l'on passe d'une pièce climatisée à une pièce non climatisée. Dès lors, on recommande de limiter la différence de température entre intérieur et extérieur à 7 °C et de ne pas descendre la température ambiante en dessous de 25 °C dans tous les cas.
Optez plutôt pour un ventilateur, voire deux, à disposer à des endroits opposés pour créer un courant d'air dans l'habitation. C'est une excellente solution d'appoint.

Comment affronter l'été sans « clim » ?

Ces dix dernières années ont été les plus chaudes depuis cent ans et les prévisions ne sont pas à la baisse de températures. Les spécialistes annoncent un réchauffement de 1,8 °C à 4 °C pour le siècle à venir. Plus alarmant encore, il faut savoir que ces chiffres ont été calculés en imaginant une baisse drastique des émissions de gaz à effet de serre ces dix prochaines années. Sans elle, le scénario devient plus catastrophique encore : les températures pourraient monter de 6,4 °C...
Il est urgent d'apprendre **à éviter la climatisation à tout prix** et à se préserver naturellement des grosses chaleurs. Un peu de bon sens suffit en général à conserver une agréable fraîcheur chez soi en été, quand les températures ne sont pas exceptionnellement chaudes.

- Faites de l'ombre ! Dans tous les cas, le plus efficace est l'installation de protections solaires : volets, persiennes, stores, pare-soleil, films solaires collés sur les vitrages...
- Fermez les volets ou les stores en journée (pensez-y le matin avant de partir travailler !) ; utilisez des stores intérieurs ou extérieurs de couleur claire. Ils réfléchissent les rayons du soleil alors que les couleurs sombres les absorbent et donc font pénétrer à l'intérieur la chaleur.
- Dès que la température extérieure dépasse celle de votre logement, fermez aussi les fenêtres.
- La nuit, lorsque la température extérieure s'abaisse au-dessous de celle de la maison, ouvrez les fenêtres et créez des circulations d'air pour évacuer la chaleur stockée dans les murs et les planchers.
- Évitez d'utiliser des équipements qui dégagent beaucoup de chaleur : sèche-linge, four...

• N'allumez pas les lampes halogènes, car plus de 90 % de l'énergie est transformée en chaleur.
• En cas de canicule, pensez à utiliser l'eau comme rafraîchissant naturel. Tendez un drap humide sur la fenêtre ou à l'intérieur (près d'un ventilateur par exemple). On peut aussi laisser tremper le bas dans une bassine d'eau afin de le garder humide. L'évaporation de l'eau « consomme » de la chaleur ambiante et ainsi refroidit la pièce.
• Pensez à réguler la température dès la construction d'une maison avec l'architecture bioclimatique.
• Pour rafraîchir l'atmosphère, arrosez la terrasse et les plantes le soir, mais attention, respectez les consignes de restriction en période de sécheresse.

Quand on le sait, on ne peut plus l'oublier !

Les protections extérieures (volets, stores, bannes, auvents...) sont beaucoup plus efficaces que les stores intérieurs.

Divers

Opter pour des plantes dépolluantes [14]

L'intérieur de nos maisons est souvent au moins aussi pollué que l'air extérieur, en raison notamment des produits chimiques (peintures, revêtements, colles...) présents dans de très nombreux produits et matériaux. On peut y remédier simplement en choisissant bien ses plantes vertes. En effet, les plantes, outre leur aspect décoratif, humidifient et purifient l'air. Elles sont aussi capables d'absorber certaines particules toxiques contenues dans l'atmosphère de la maison et de les neutraliser.
Comment est-ce possible ? Les polluants de l'air sont absorbés par les feuilles. Les plantes émettent de la vapeur d'eau, ce qui améliore le taux d'humidité de l'air. Des micro-organismes qui vivent dans les racines convertissent les polluants en produits organiques qui servent à nourrir la plante. Ce faisant, ils purifient l'air de la pièce.

Le chlorophytum. C'est le champion de la dépollution intérieure toutes catégories. Il supprime le monoxyde de carbone et le formaldéhyde, rendant ainsi l'air des maisons plus respirable mais aussi moins allergène. À mettre n'importe où et à combiner avec les autres plantes intérieures.

14. Fondation Nicolas Hulot.

L'azalée. C'est sans doute la meilleure exterminatrice de l'ammoniac (présent dans les dégraissants et dans certains produits de nettoyage des sols). Elle est idéale pour la cuisine.

Le chrysanthème. C'est un très bon absorbeur de trichloréthylène, substance utilisée dans les peintures et les solvants. À mettre dans les pièces fraîchement repeintes, surtout si vous n'avez pas utilisé de peintures bio.

Le ficus benjamina. Le ficus neutralise le formaldéhyde, appelé couramment formol. On le retrouve dans les mousses d'isolation, la colle à moquette mais aussi dans les papiers d'emballage, les essuie-tout, les vêtements nettoyés à sec... Autrement dit, vous pouvez le mettre un peu partout dans la maison.

Le lierre. Il s'avère la meilleure plante pour éliminer le benzène, solvant fréquemment présent dans les peintures, encres, matières plastiques ou encore détergents. On peut placer un lierre dans la cuisine et dans le couloir.

Le tabac à la maison

La fumée de tabac est le polluant majeur de l'air intérieur. Elle renferme une centaine de composés chimiques dont la nicotine, le monoxyde de carbone, des goudrons et des gaz irritants, comme les oxydes d'azote et le formaldéhyde. Ils sont émis sous forme de particules minuscules. Il est presque impossible de se débarrasser de ces polluants en suspension, même en aérant largement !

···⁘ Quelles peintures choisir ?

Utilisez des peintures à l'eau (acryliques) plutôt que des peintures glycérophtaliques. Ces dernières contraignent en effet à utiliser des solvants extrêmement polluants (type white-spirit) pour nettoyer pinceaux et rouleaux. On peut substituer au white-spirit certains produits, qui sont souvent à base de terpène (en vente dans les magasins bio). On peut aussi utiliser du liquide vaisselle pur.
Sachez tout de même que la peinture à l'eau n'est pas la panacée : elle doit contenir des additifs, notamment pour sa conservation... Évitez également les peintures à base de plomb, poison mortel pour tout être vivant.
Choisissez toujours des produits labellisés « NF Environnement » ou portant le label européen. Il existe des produits naturels qui ont fait leurs preuves : la chaux naturelle, la peinture à la caséine de lait, le plâtre (en enduit coloré à base de terre), les enduits de terre, des peintures à base de produits naturels...

Avantages et inconvénients des peintures naturelles

Les « plus » :

- Outre l'impact sur la santé et l'environnement, les peintures naturelles sont de bonne qualité et ont un bon pouvoir couvrant.
- Leur prix est généralement comparable à celui des peintures synthétiques de bonne qualité.
- Elles sèchent en général moins vite que les peintures ou vernis classiques, mais imprègnent mieux le support.
- Elles ne sont pas « lavables » mais elles sont perméables à la vapeur d'eau (elles « respirent »), ce qui rend leur utilisation également intéressante en salle de bains, cuisine...
- Elles sont biodégradables.

Les « moins » :

- L'application n'est peut-être pas toujours aussi performante.
- La palette des teintes est moins étendue (certains consommateurs ajouteront un pigment artificiel pour obtenir la teinte de leur choix...).

Vos éco-gestes d'or

À vous de jouer ! Et si vous changiez un tout petit peu votre quotidien ? Et si vous choisissiez cinq éco-gestes d'or dans ce chapitre sur le salon ?
En fonction de votre personnalité, certains actes vous semblent insurmontables (vos habitudes vous paraissent trop ancrées...), d'autres en revanche vous vont déjà comme un gant !
Vous verrez, lorsque vous aurez pris une décision (et pas seulement une « bonne résolution »), chaque fois que vous la mettrez en pratique, vous vous sentirez lié à la Terre par un fil invisible...

Notez ici les cinq éco-gestes retenus, en signe de votre engagement. Ce peut être l'occasion d'avoir une conversation familiale où chacun choisit les gestes qu'il va introduire dans son quotidien. Une autre façon d'aller, ensemble, vers l'avenir...

P.-S. Si vous vous sentez motivés par plus de cinq éco-gestes, n'hésitez pas !

Je m'engage à :

VOUS : ____________________

1. ____________________

2. ____________________

3. ____________________

4. ____________________

5. ____________________

VOTRE CONJOINT :

1.

2.

3.

4.

5.

LES ENFANTS :

1.

2.

3.

4.

5.

1.

2.

3.

4.

5.

Dans la cuisine

La cuisine, « ventre de la famille », est un autre lieu stratégique. Elle est même, de plus en plus, une pièce à vivre. Ici aussi, on consomme beaucoup d'énergie : électricité, gaz, eau courante, appareils électroménagers... jusqu'à la télévision ! C'est là également que l'on jette le plus de déchets. Attention aux mauvais réflexes !

···> Petite histoire de la cuisine

La cuisine a longtemps été un lieu minimaliste. L'habitation rustique contenait une seule pièce, avec un foyer au centre, à même le sol. Puis, dès l'Antiquité, on commença à entourer le foyer de murets. En ville, la cuisine est peu à peu reléguée dans les sous-sols du fait des odeurs. À la fin du XVe siècle, on recommande la séparation des lieux de faste et des communs : cela limite les odeurs et les risques d'incendies. Les riches se font des cuisines très vastes, toujours éloignées des salles de réception et pas au même étage. Au XIXe siècle, la cuisine s'impose progressivement comme la pièce la plus importante. Étant devenue moins salissante, elle peut retrouver sa place centrale dans la maison. On peut la décorer. Elle devient fonctionnelle et même une pièce à vivre [15]...

15. Anthony Rowley, *La Cuisine, une pièce à vivre*, Flammarion, 1999.

S'équiper d'appareils ménagers économes

Chaque année, en France, on met au rebut :

- 1,8 million de lave-linge
- 1,3 million de téléviseurs
- 1 million de réfrigérateurs
- 900 000 magnétoscopes
- 800 000 chaînes hi-fi
- 600 000 lave-vaisselle
- 280 000 congélateurs [16]

Depuis un décret du 15 novembre 2006, tout distributeur d'équipement électrique ou électronique doit reprendre votre ancien appareil – télé, ordinateur, fer à repasser, lampe ou mixeur – contre l'achat d'un nouveau. N'hésitez plus !

Le wattmètre

Un petit outil appelé calculateur de consommation électrique (ou wattmètre) permet de connaître en temps réel la consommation de divers appareils. Vous pouvez ainsi vous faire facilement une idée des consommations en veille et en marche de chacun de ces appareils et optimiser l'utilisation que vous en faites.

Les étiquettes énergie : une garantie de sobriété énergétique

Mise en place par la Communauté européenne depuis 1995, l'étiquette de classe énergétique signale les produits économes (appareils électroménagers et électriques ainsi que les ampoules). Ce label énergie doit également être indiqué sur les catalogues de vente par correspondance.

La différence de consommation entre les produits est loin d'être négligeable : **la consommation électrique des appareils électroménagers peut varier du simple au quintuple !** À chaque renouvellement des appareils, cela vaut la peine de s'en soucier. L'éventuel surcoût est vite amorti grâce aux économies d'électricité – et à une moindre consommation d'eau. Ainsi, un lave-linge performant consomme environ 40 litres d'eau pour une lessive sans prélavage (deux fois moins qu'il y a dix ans...), un lave-vaisselle sobre seulement 15 litres. Les appareils peu consommateurs sont souvent des appareils de haut de gamme, en général plus silencieux, plus efficaces, qui comportent plus de programmes, etc.

16. Source : ADEME.

Les plus efficaces sont en classe A (A+ pour certains appareils), les moins efficaces, en classe G. Attention à ce que l'on vous vend, notamment sur le Net : depuis septembre 1999, les appareils de classe E, F et G sont interdits à la vente.
Un appareil de classe A consomme jusqu'à trois fois moins d'électricité qu'un appareil de classe C. Ceux de classe A+, 20 % de moins qu'un appareil de classe A. Des appareils de classe énergétique A++ font leur apparition, réduisant la consommation et donc la facture d'électricité de 20 % par rapport à une classe A+.

Achetez toujours des appareils de classe énergétique A, à la rigueur B !

Quels appareils sont étiquetés ?

Réfrigérateur, congélateur, lave-linge, sèche-linge, lave-vaisselle, four électrique, ampoule, climatiseur... tous ces produits voient leurs caractéristiques expliquées par une étiquette énergie. Cette disposition permet d'effectuer un achat en connaissance de cause.

La taxe éco-participation

Depuis le 15 novembre 2006, sur chaque appareil électrique ou électronique acheté, l'acquéreur paie désormais une taxe nommée éco-participation. Cette taxe, qui va de 1 centime à 9 euros par appareil, permet de financer le regroupement, le transport, le tri puis le recyclage de l'appareil que vous achetez ou d'un appareil équivalent. S'ils contiennent des substances dangereuses, le traitement comprend aussi une dépollution. La taxe est en général comprise dans le prix affiché du produit, il n'y a donc pas de crainte particulière à avoir quand on achète.

L'utilisation fait aussi partie du cycle de vie du produit

Lire les modes d'emploi des produits donne des informations précises sur leurs conditions optimales, sur leur nocivité éventuelle, sur les précautions à prendre pour les faire durer plus longtemps et sur les erreurs à éviter afin de les garder en état de marche.
Respecter les doses conseillées permet d'obtenir un résultat optimal en faisant des économies. Pour un produit plus efficace ou plus concentré, il faut réduire les doses utilisées.
Entretenir régulièrement (ou faire entretenir par un spécialiste) les matériels qui en ont besoin diminue les risques de panne et prolonge leur durée de vie.

···› Le choix des « heures creuses »

L'abonnement « heures creuses » d'EDF, un peu plus coûteux que l'abonnement de base, permet de profiter des variations de tarifs du kWh en utilisant ses équipements électriques aux moments les plus avantageux. Pendant 8 heures creuses quotidiennes (en général la nuit), vous pouvez profiter de vos appareils à moindre coût. Les équipements électroménagers programmables permettent de profiter encore mieux de ce tarif réduit.

Parlez-vous kWh ?

L'abréviation kWh signifie « kilowatt par heure ». 1 kWh est la consommation d'un appareil de puissance 1 000 W pendant une heure sans discontinuer. Exemple : votre aspirateur a une puissance de 1 500 W. Si vous l'utilisez pendant une heure à pleine puissance, il consommera 1,5 kWh.

Tes voisins tu respecteras !

Ne mettez pas en marche le lave-vaisselle ou le lave-linge après 22 heures si vos appareils sont bruyants !

Le froid

Faire les courses pour la semaine, c'est bien pratique, d'autant que nous avons tout le matériel voulu, entre le frigo et le congélateur, pour conserver les aliments à la maison. Mais il faut savoir que le froid est un boulimique d'énergie... **Ainsi, le réfrigérateur consomme plus d'énergie que tout autre appareil électroménager de la maison !** Raison de plus pour bien réfléchir en achetant un produit adapté à vos besoins.

···› Quelle taille pour le réfrigérateur ?

Le volume nécessaire dépend de la composition de la famille. Un combiné (réfrigérateur et congélateur dans le même équipement) rentabilise mieux l'énergie s'il est équipé de deux compresseurs.

CAPACITÉ OPTIMALE	
Pour un célibataire	100 à 150 litres
Pour 2 ou 3 personnes	150 à 250 litres
Pour 3 ou 4 personnes	250 à 350 litres
Pour plus de 4 personnes	350 à 500 litres

Attention aux réfrigérateurs américains : ils ont une allure imbattable et distribuent des glaçons, mais consomment deux à trois fois plus qu'un appareil classique !

Encore et toujours la classe A

Choisissez un modèle de classe A. Il coûte plus cher à l'achat, mais consomme beaucoup moins d'électricité. Son prix sera amorti au bout de quatre ans (c'est un peu long, mais la durée de vie de votre appareil sera trois fois plus longue).

Évitez les modèles encastrés

Un réfrigérateur encastré dans un meuble de cuisine consomme davantage. En effet, la circulation d'air est grandement freinée, ce qui limite l'échange thermique et fait tourner beaucoup plus le compresseur. Au mieux, les bricoleurs installeront un ventilateur sur le meuble, branché sur le moteur du frigo.

···❖ Entretenir son réfrigérateur

Prenez garde à la chaleur alentour

Les appareils de froid n'aiment ni le voisinage des engins de cuisson (four, cuisinière...) ou des radiateurs, ni l'ensoleillement direct. Une pièce non chauffée est même l'idéal pour un congélateur. Laissez toujours un espace d'au moins 5 cm autour de l'appareil (respectez les recommandations du fabricant) pour permettre la circulation de la chaleur issue du compresseur.

Contrôlez la température

Il existe différentes zones de froid dans un réfrigérateur. En fonction de la température qui y règne, elles accueilleront divers aliments. Ceux qui le souhaitent peuvent placer un thermomètre dans le bac à légumes du réfrigérateur.

- Étage du haut, zone froide (de 0 à 3 °C) : viande et poisson crus, charcuterie, produits frais entamés, fromages frais et au lait cru, produits traiteur frais.
- Étage du bas, zone fraîche (de 4 à 6 °C) : restes de plats cuisinés et d'aliments déjà cuits, laitages.
- Bac à légumes (6 °C) : légumes et fruits frais.
- Porte (de 6 °C à 10 °C) : boissons, condiments, œufs.

Pour le congélateur, la température idéale est de –18 °C afin de bien conserver les aliments et d'économiser l'énergie. Inutile d'aller en deçà de cette valeur.

Ne mettez pas d'aliments chauds et sur-emballés au réfrigérateur

Laissez les aliments et plats encore chauds ou tièdes se refroidir à l'extérieur (accueillir des aliments chauds demande à l'appareil un effort supplémentaire en énergie).

Quand on le sait, on ne peut plus l'oublier !

Ôtez toujours les emballages autour des produits avant de les mettre au frigo : films plastique, blisters, barquettes filtrent le froid. Le carton d'emballage de vos six yaourts grecs n'a aucun besoin d'être refroidi !

Calendrier d'entretien

Tous les mois : lavez l'intérieur

Opérez toujours du haut vers le bas.

Enlevez les parties démontables pour les laver à part.

Passez une éponge imprégnée d'eau citronnée ou de vinaigre blanc.

Rincez à l'eau claire et essuyez avec un chiffon propre.
Agissez rapidement pour éviter une remontée de la température et une rupture de la chaîne du froid.

Tous les six mois : attention au givre...
Tous les six mois, il est impératif de dégivrer vos appareils pour qu'ils consomment moins. Le givre provient de la vapeur d'eau. En couvrant les plats, en enveloppant les légumes, en surveillant l'étanchéité de la porte du réfrigérateur ou du congélateur, on limite sa formation. Dès que la couche de givre dépasse 2 à 3 mm, il faut penser à dégivrer (au-delà de 3 mm de givre, la hausse de consommation est de 30 %) !
Un truc pour vérifier l'étanchéité des portes : l'apparition rapide du givre est souvent due à des joints fatigués. Si le caoutchouc est en bon état, on ne doit pas pouvoir passer une feuille de papier entre le coffre de l'appareil et la porte.

Tous les ans : nettoyez la grille d'aération
Située à l'arrière du réfrigérateur, elle est chargée de disperser au-dehors la chaleur extraite de l'appareil.

Quand on le sait, on ne peut plus l'oublier !

- **Ne laissez pas la porte des congélateur et réfrigérateur grande ouverte. Attention en particulier aux ados qui ouvrent le frigo cinquante fois par jour !**
- **Les fruits et légumes mis en bas du frigo se conservent beaucoup plus longtemps.**
- **Ne surchargez pas le réfrigérateur, car cela nuit à la circulation de l'air. En revanche, un congélateur bien rempli fonctionne mieux qu'un appareil pratiquement vide.**

Quid du congélateur ?

Il existe quatre manières de décongeler les aliments, dont l'une est à proscrire car elle fait courir de gros risques d'intoxication alimentaire : c'est celle qui consiste à décongeler à température ambiante. Oubliez-la tout de suite !
En revanche, vous pouvez, en toute sécurité :

- décongeler les aliments au réfrigérateur, posés sur une assiette ou un plateau ;
- immerger les aliments encore scellés dans leur emballage dans de l'eau froide que vous changerez toutes les trente minutes ;
- décongeler au micro-ondes à condition de faire cuire immédiatement les aliments.

Trois gestes pour entretenir son congélateur [17]

• Pour évaluer correctement la taille du congélateur dont vous avez besoin, prévoyez une capacité de 100 litres par personne adulte.

• Pour les identifier facilement afin de laisser ouverte la porte du congélateur le moins longtemps possible, posez une étiquette sur vos sacs et récipients en indiquant la nature du produit et sa date de mise au froid.

• Si votre congélateur n'est pas plein, comblez les espaces vides avec des bouteilles en plastique remplies aux trois quarts d'eau. Une fois congelées, elles aident l'appareil à abaisser la température après une ouverture de porte.

Le chaud

La cuisson des aliments

Que vous soyez équipé d'une cuisinière, d'une gazinière, d'un four traditionnel ou d'un micro-ondes, respectez toujours cette règle d'or : pour les petits travaux de cuisson, utilisez les petits appareils (bouilloire électrique, grille-pain ou micro-ondes) au lieu de la cuisinière (ou gazinière).

17. Source : www.gestesdinterieur.fr/.

Cuire au four traditionnel

Six conseils pour optimiser l'usage de votre four [18] :

• Ne le laissez pas préchauffer plus que nécessaire : enfournez dès que la lampe témoin s'éteint.

• Évitez les courants d'air : ouvrir la porte d'un four pendant qu'il fonctionne gaspille beaucoup de chaleur. Pour évaluer la cuisson de votre préparation, il vaut mieux se servir de l'éclairage de contrôle.

• Utilisez la chaleur résiduelle en éteignant le four 10 minutes avant la fin de la cuisson.

• Ne vous en servez pas pour décongeler les aliments. Sortez-les à l'avance, tout simplement.

• Préférez la casserole pour réchauffer des plats ou chauffer le chocolat des enfants.

• À l'achat, lorsque c'est compatible avec votre installation, préférez le four à gaz au four électrique.

Comment nettoyer son four sans utiliser de produits hyper toxiques ?

Les systèmes autonettoyants des fours sont de gros consommateurs d'énergie. Mais il existe un produit miracle pour nettoyer son four écologiquement : le bicarbonate de sodium. Mode d'emploi : mettez du bicarbonate de sodium sur une éponge ou en « cataplasme » (environ 4 cuillerées à soupe bombées de bicarbonate mélangées avec de l'eau) directement sur les parties à nettoyer. Laissez agir une nuit et enlevez au matin avec une éponge humide.

Profitez de la chaleur : dans le cas d'un four à pyrolyse (très gourmand en énergie), programmez le nettoyage dans la foulée d'une cuisson, pour bénéficier de la chaleur accumulée.

Quand on le sait, on ne peut plus l'oublier !

Quelle que soit la nature de votre four, dirigez-vous plutôt vers des appareils à grand hublot qui soient également bien éclairés de l'intérieur. Cela vous permettra de maîtriser votre cuisson sans avoir à ouvrir le four et à perdre de la chaleur.

Réchauffer au micro-ondes

Le micro-ondes est à utiliser avec modération. Les aliments peuvent se décongeler à l'intérieur du réfrigérateur, sans l'aide du micro-ondes : c'est moins rapide, mais cela ne consomme aucune énergie.

18. Ces astuces, comme tant d'autres, viennent du site incontournable http://geantvert.canalblog.com/.

La cuisson des plats au micro-ondes, surtout ceux contenant beaucoup d'eau comme les légumes, est à éviter. Ce type de four est idéal pour réchauffer les aliments. Un micro-ondes consomme moins d'énergie pour réchauffer un plat qu'un four traditionnel.

··· L'incontournable cuisinière (gazinière)

Choisissez des plaques à induction ou une cuisinière à gaz, plus chères à l'achat mais plus rentables que des plaques électriques.

Le b.a.-ba de la cuisson à la cuisinière

• Mettez un couvercle sur les casseroles pour accélérer la cuisson et conserver la chaleur.

• Adaptez la taille du récipient au volume des aliments. Par exemple, l'eau nécessite énormément d'énergie pour devenir chaude et il est inutile, long et coûteux de faire bouillir cinq litres d'eau pour faire cuire trois œufs.

• Profitez de l'inertie. Les plaques de cuisson électriques continuent de chauffer durant quinze minutes après extinction (sauf les plaques à induction) : cette chaleur, entièrement gratuite, mérite d'être utilisée lors d'une cuisson longue. Profitez de ce que la plaque de cuisson électrique ou le four sont chauds pour cuire ou réchauffer autre chose.

• Couvrez la casserole d'eau des pâtes. Cela divise par quatre l'énergie nécessaire. *Idem* lorsque vous faites bouillir de l'eau : les temps de cuisson raccourcissent et vous ferez des économies d'énergie. Maintenir 1,5 litre d'eau en ébullition dans une casserole demande quatre fois moins d'énergie avec un couvercle.

• Cuire à gros bouillons dépense de l'énergie. Cette méthode n'accélère d'ailleurs pas la cuisson, puisque la température de l'eau ne dépasse pas 100 °C...

• Choisissez le brûleur (ou la plaque chauffante) en fonction de la taille du fond du récipient.

Faire bouillir de l'eau [19]

Pour faire bouillir de l'eau, une bouilloire électrique ordinaire est plus économique. Prenez juste la quantité d'eau nécessaire et mettez toujours de l'eau froide dans la bouilloire.

Pour faire un thé ou un café instantané, utilisez plutôt de l'eau froide chauffée que l'eau chaude du robinet.

19. Astuce du site éco-citoyen de Grenoble : www.ecocitoyen-grenoble.org.

Quand on le sait, on ne peut plus l'oublier !

Coupez les aliments en petits morceaux de même taille afin de les cuire bien plus vite et de façon plus homogène.

Économiser l'eau

« *À l'échelle cosmique, l'eau est plus rare que l'or.* »

Hubert Reeves

L'eau est précieuse ! C'est l'or bleu d'aujourd'hui et de demain, mais il est inégalement réparti [20] ! Si nous n'en manquons pas en Europe, des millions de personnes dans le monde n'y ont pas accès. Avec le réchauffement annoncé de la planète, les choses vont aller en empirant... Un Français consomme environ 150 litres d'eau potable par jour (sept fois plus qu'un Africain, quatre fois moins qu'un Américain) pour ses besoins domestiques, dont seulement 7 % pour l'alimentation ! Un chiffre à rapprocher d'un autre : l'eau douce ne représente que 2,5 % du stock total d'eau sur la planète (les 97,5 % restants étant salés) et elle est utilisée à 70 % pour l'irrigation liée à l'agriculture ! Les économies d'eau sont *urgentissimes !*

CONSOMMATION D'EAU DES MÉNAGES PAR POSTE [21]

Alimentation	6 %
Boisson	1 %
Cuisine	6 %
Hygiène et toilette	39 %
Voiture, jardin	6 %
Vaisselle	10 %
Linge	12 %
Sanitaires	20 %
Divers	6 %

La France est le deuxième consommateur européen d'eau après l'Italie. En moyenne, sur les 150 litres d'eau utilisés par jour par un Français, seul 1,5 litre est bu. Tout le reste concerne nos usages domestiques !

---

20. À lire : Yves Lacoste, *L'Eau dans le monde : les batailles pour la vie*, Larousse 2007, et Véronique Le Marchand, *L'Eau, source de vie, source de conflit*, Milan, coll. « Les essentiels », 2003. Sur le Net : www.h2o.net et www.cnrs.fr.
21. Source : Centre d'information de l'eau, février 2007.

CONSOMMATION D'EAU D'UNE FAMILLE DE QUATRE PERSONNES [22]

ÉQUIPEMENT	EN MODE NORMAL	EN MODE ÉCONOMIQUE
Baignoire	200 l par bain	100 l si on opte pour une douche de 5 min
Douche	20 l/min	10 l/min avec un réducteur de débit
Robinet	13 l/min	6 l/min avec un économiseur
Lave-vaisselle	20 l par cycle (classe énergétique D)	10 l par cycle (classe énergétique A)
Lave-linge	90 l par cycle (classe énergétique D)	50 l par cycle (classe énergétique A)

22. Source : www.linternaute.com/.

Nous utilisons trop, beaucoup trop d'eau potable :

- de l'eau *potable* pour faire la vaisselle ;
- de l'eau *potable* pour laver nos sols ;
- de l'eau *potable* pour arroser notre jardin ;
- de l'eau *potable* quand nous tirons la chasse d'eau ;
- de l'eau *potable* pour nous laver ;
- de l'eau *potable* pour chauffer nos radiateurs ;
- de l'eau *potable* pour remplir nos aquariums ;
- de l'eau *potable* pour refroidir nos moteurs.

En Grèce, les maisons sont desservies par un réseau d'eau légèrement traitée mais non potable. Elles ne possèdent qu'un robinet d'eau vraiment potable qui ne sert qu'à *boire*...

Le saviez-vous ?

Il faut 25 litres d'eau pour faire un litre de bière.

Il faut environ 100 litres d'eau pour produire un litre d'alcool.

Il faut 300 à 600 m^3 d'eau pour fabriquer une tonne d'acier (1 m^3 fait 1 000 litres).

Il faut environ 500 m^3 d'eau pour fabriquer une tonne de papier.

Il faut de 300 à 400 m^3 d'eau pour fabriquer une tonne de sucre.

Il faut 60 à 400 m^3 d'eau pour fabriquer une tonne de carton.

Il faut environ 35 m^3 d'eau pour produire une voiture.

Il faut environ 35 m^3 d'eau pour produire une tonne de ciment.

Il faut 1 à 35 m^3 d'eau pour fabriquer une tonne de savon.

Pas de gaspillage !

Évitez de faire couler l'eau inutilement

Vous pourrez ainsi l'économiser (sous la douche, pour la vaisselle...). Par exemple, fermer le robinet pendant les trois minutes où l'on se lave les dents peut économiser quelques dizaines de litres d'eau !

Vérifiez qu'aucun robinet ne fuit

Un écoulement goutte à goutte peut aboutir à plus de 4 000 litres d'eau perdue par an. Faites donc réparer les robinets et chasses d'eau qui fuient : vous épargnerez de 10 litres par jour pour un robinet à 500 litres par jour dans le cas d'un simple filet d'eau dans la cuvette des W-C !

Équipez vos robinets de réducteurs de débit

Mitigeurs et aérateurs limitent significativement votre consommation d'eau. Ils diminuent le débit d'eau qui coule en dispersant le flux.
Appelé mitigeur, aérateur, économiseur ou encore mousseur, ce dispositif – peu cher à l'achat – se place facilement à la sortie de vos robinets (ou sur votre douche).
Par défaut, l'eau du réseau de distribution est délivrée à 3 bars, c'est-à-dire 17 litres par minute. Un mitigeur classique peut abaisser le débit à 12 litres par minute, tandis que certains mitigeurs mécaniques haut de gamme économisent jusqu'à 50 % d'eau. Pour un foyer de quatre personnes, les aérateurs placés sur les robinets et les éco-douchettes génèrent une économie annuelle de l'ordre de 30 %. Éco-geste en or et baisse de la facture assurée !

Pensez à récupérer l'eau

Une partie de l'eau que vous utilisez et qui n'est pas souillée par des produits chimiques peut être utilisée pour d'autres usages. Par exemple, lorsque vous faites couler de l'eau en attendant qu'elle soit chaude, récupérez cette eau encore froide pour en arroser ensuite vos plantes ou pour la mettre dans la bouilloire pour votre thé.

Prendre conscience de sa consommation d'eau, c'est aussi connaître quelques ordres de grandeur des quantités d'eau pouvant être dépensées pour la fabrication d'un kilo de certains produits [23] :

- tomates importées : 40 litres ;
- papier : 500 litres ;
- agrumes : 1 000 litres ;
- viande de bœuf : 10 000 litres ;
- coton : jusqu'à 30 000 litres pour l'irrigation.

Après avoir pris connaissance de ces impacts de production, on comprend mieux pourquoi on nous recommande de ne pas manger de viande tous les jours...

Quand on le sait, on ne peut plus l'oublier !

En fin de repas, il reste toujours un peu d'eau dans la carafe. Arroser vos plantes avec permet un petit arrosage régulier. De même pour l'eau usagée qui a servi à nettoyer les légumes.

23. Source : www.consodurable.org.

···› Buvez l'eau du robinet

Les samedis après-midi, sur les parkings de supermarché, combien voit-on de familles avec un chariot plein de packs d'eau pour la semaine ! De même, dans les publicités (télé, bus, rue, métro, magazines...), les femmes qui suivent un régime ont toujours une bouteille en plastique sur leur bureau, dans leur besace, dans leur sac à vélo ou sur leur table de nuit... *Stop !* Les normes sanitaires sont drastiques pour l'eau qui coule de nos robinets. L'eau du robinet est même le produit alimentaire le plus surveillé.

Pourtant, en France, la consommation d'eau en bouteille a été multipliée par deux en vingt ans, ce qui représente des milliers de kilomètres parcourus, des tonnes de carburant consommé et de gaz carbonique émis avant d'arriver sur notre table. Sans compter les milliards de bouteilles plastique à recycler, dont plus de la moitié n'arriveront pas au tri (seules quatre bouteilles sur dix sont recyclées)... Pensez à les trier et buvez l'eau du robinet, elle a tout pour elle !

Elle est au moins 200 fois moins chère que l'eau en bouteille

Lorsque vous achetez une bouteille d'eau, ce n'est pas le liquide que vous payez le plus cher mais l'emballage qui finira à la poubelle (coût du liquide : 20 % ; coût de l'emballage : 80 %).

Quand on le sait, on ne peut plus l'oublier !

Si vous préférez boire de l'eau embouteillée, choisissez une source locale afin de minimiser l'impact du transport sur l'environnement.

Elle est plus écologique

Boire de l'eau en bouteille pour sa consommation courante génère des déchets : les bouteilles sont le plus souvent en plastique. En France, en 2004, nous avons consommé 6,2 milliards de litres d'eau plate en bouteille. Leur emballage primaire (c'est-à-dire les bouteilles, sans les cartons, les films ni les palettes) a représenté 240 000 tonnes de matières plastiques.

Le fait de boire l'eau du robinet permet :

• une réduction de déchets (par rapport à l'eau embouteillée, l'eau du robinet permet d'économiser environ 10 kg de déchets par an et par personne) ;

• une économie de ressources (pas besoin d'emballage) et de pétrole (l'eau en bouteille parcourt en moyenne 300 km).

Elle est potable

Sauf avis contraire de la direction départementale de l'action sanitaire et sociale, l'eau du robinet est potable : elle est soumise à de multiples analyses, depuis son origine jusqu'au robinet, et à des contrôles quotidiens. Cette surveillance s'inscrit dans le cadre de la réglementation française et européenne.

On peut améliorer son goût

L'odeur d'eau de Javel qui se dégage parfois de l'eau du robinet est due au chlore ajouté à l'eau. Le chlore est utilisé pour garantir la bonne qualité bactériologique de l'eau tout au long de son transport dans les canalisations jusqu'à votre robinet. Il existe quelques petites astuces pour faire disparaître l'éventuel goût de chlore :

- Avant de consommer l'eau, laissez-la couler quelques instants. Ou encore, remplissez la carafe d'eau un peu avant de passer à table. En effet, le chlore s'évapore au contact de l'air.
- Vous pouvez utiliser du charbon activé destiné à la consommation humaine (magasins bio et pharmacies). Une petite pincée dans une carafe d'eau absorbe efficacement le chlore. En plus, c'est très économique.
- Vous pouvez fixer un filtre sur le robinet (assurez-vous qu'il ne supprime pas aussi les sels minéraux comme le calcaire, indispensable à la santé). Mais cela pose ensuite le problème du recyclage de ces filtres industriels.

Et la présence de plomb ?

L'eau distribuée ne contient que très peu de plomb (environ 5 microgrammes). En revanche, si l'eau a stagné dans les tuyaux (par exemple l'eau utilisée en début de journée), elle a pu se charger un peu en plomb si les canalisations (branchement d'immeuble, tuyauteries du bâtiment) sont encore en plomb.
Un geste simple : à la première utilisation, laissez couler un peu l'eau au robinet avant de boire ou de remplir la carafe.

Quand on le sait, on ne peut plus l'oublier !

- **Pour mieux profiter de l'eau du robinet, versez-la dans une grande carafe et laissez-la reposer une demi-journée. Les résidus minéraux se déposeront au fond et elle aura meilleur goût.**
- **Eau du robinet ou eau en bouteille, une fois ouverte, ne doivent pas être consommées après un ou deux jours, car elles sont progressivement contaminées par les bactéries présentes dans notre environnement quotidien. Ne buvez jamais l'eau d'une vieille bouteille entamée, retrouvée par exemple dans votre voiture !**

« Nous sommes les locataires provisoires d'une planète magnifique mais fragile. »
Albert Jacquart

La vaisselle : main ou machine ?

Avant d'opter pour la vaisselle à la main ou à la machine, réfléchissez tout d'abord en fonction du nombre de personnes de votre foyer. Un lave-vaisselle consomme environ 20 litres d'eau (pour douze couverts). La vaisselle à la main avec remplissage des bacs utilise environ 15 litres d'eau (même pour deux couverts !). Le lave-vaisselle est donc plus économique qu'une vaisselle à la main, *si on le fait tourner bien rempli.* Toutefois, n'oublions pas les matières premières et l'énergie qui ont été utilisées pour sa fabrication ainsi que la pollution engendrée par son transport puis son traitement en fin de vie...

··· À la main

Faire la vaisselle à la main ne doit pas être synonyme de gaspillage...

• Ne rincez pas la vaisselle sous l'eau courante. Lorsque vous faites la vaisselle, remplissez les deux bacs ou deux cuvettes d'eau (un pour le lavage, l'autre pour le rinçage) au lieu de laisser couler l'eau.
• Choisissez un détergent respectueux de l'environnement, c'est-à-dire composé de tensioactifs (agents lavants) d'origine végétale. Il est plus complètement et plus vite dégradé en éléments inoffensifs lorsqu'il est évacué, *via* les égouts, dans les rivières.

• Utilisez juste ce qu'il faut de nettoyant.

• Diluez le produit dans l'eau de vaisselle plutôt que de l'utiliser pur sur chaque objet à laver.

• Nettoyez les différentes pièces des moins sales aux plus sales, puis rincez.

Pas d'huiles dans l'évier (ni dans la cuvette des toilettes)

Un proverbe togolais nous le rappelle : « L'eau salie ne se lave plus jamais. »
Un litre d'huile peut couvrir une étendue de 1 000 m² d'eau. Alors ne jetez pas d'huile (huile de friture, des boîtes de thon, de sardines ou encore reste de vinaigrette) dans l'évier ni dans les W-C. En effet, une fois parvenues dans les stations de traitement des eaux, les huiles gênent le travail d'épuration car les bactéries chargées d'épurer les eaux sont asphyxiées par la pellicule que forme l'huile sur l'eau.
La solution ? Les stocker dans une bouteille plastique vide que l'on jettera dans la poubelle ou à la déchetterie. Certaines villes disposent également de points de collecte pour que ces huiles alimentaires soient recyclées. Contactez votre mairie ou l'organisme Écogras [24] qui s'occupe du recyclage de ces déchets sur le sol français.

Dégraissez à l'eau froide [25] !

Pour la vaisselle, nous pouvons nous inspirer des coutumes des habitants des îles du Pacifique : ils dégraissent à l'eau froide ! Si vous faites l'essai, vous constaterez qu'avec du savon et de l'eau froide vous pouvez récurer vos poêles et vos casseroles de manière très satisfaisante.

En machine

Quatre, c'est le nombre moyen de lavages par famille et par semaine.

Les trois règles du lave-vaisselle

• Choisissez-le de classe énergétique A.

• Faites-le tourner à pleine charge et en programme « éco ».

• Évitez le pré-rinçage si la vaisselle n'est pas très sale.

24. Tél. : 01 43 52 02 80 ou 01 48 34 19 71. Pour tout renseignement, écrire à info@ecogras.com.
25. Une astuce du site Gaz de France.

Cinq éco-gestes

• Effectuer un cycle de lavage lorsque le lave-vaisselle est plein économise à la fois l'énergie nécessaire au chauffage de l'eau (80 % de la consommation énergétique) et l'eau.

• Pour économiser à la fois l'eau et l'énergie, choisissez de préférence un lave-vaisselle avec une option de séchage sans chaleur. Sinon, pensez à arrêter la machine au début du cycle de séchage et à ouvrir la porte afin de laisser sécher la vaisselle à l'air libre. Faire sécher la vaisselle à l'air ambiant réduit de 10 % le coût de fonctionnement de l'appareil.

• Ne rincez pas la vaisselle avant de la mettre dans l'appareil, car cela consomme de l'eau inutilement.

• Pour un lavage efficace, il faut nettoyer régulièrement le filtre de la cuve et le joint de porte, surveiller le niveau de sel, vérifier annuellement les tuyaux d'arrivée et de sortie d'eau et respecter la dose de lessive recommandée.

• Pour les poudres de lavage, respectez les doses recommandées : davantage de produit ne donne pas de meilleurs résultats et pollue davantage l'eau rejetée. Choisissez de préférence celles qui ont reçu des éco-labels.

Le ménage écolo

« *Va prendre tes leçons dans la nature.* »

Léonard de Vinci

La grande majorité des produits d'entretien pour la maison sont composés d'éléments chimiques nocifs pour l'environnement et la santé. Dans ces conditions, **il vaut mieux un petit nettoyage régulier avec un produit simple et multi-usages qu'une fièvre de ménage occasionnelle,** nécessitant des détergents agressifs ! Enfin, faites le deuil d'un intérieur aseptisé ! Nous n'en avons pas besoin, bien au contraire...

··· Quels produits acheter ?

Choisissez vos produits d'entretien en connaissance de cause. Lisez l'étiquette et cherchez les produits composés de **tensioactifs d'origine végétale et biodégradables.** Veillez en particulier à l'absence de phosphates, de formaldéhyde, de chlore.

Plutôt que d'acheter une batterie de produits (nettoyant pour vitres, spray pour salle de bains, crème à récurer, spray javellisé pour la cuisine, lingettes pour le sol, eau de Javel pour les toilettes...), préférez un chiffon en microfibres imprégné de savon liquide à base d'huile végétale – et également de vinaigre lorsqu'il s'agit d'éliminer des traces de calcaire.

Utilisez des **produits concentrés** (lessives, savon liquide, nettoyants pour sols et pour vitres...). Ils sont aussi actifs qu'un produit traditionnel, mais génèrent moins de déchets d'emballage. Respectez bien les indications de dosage, un produit concentré doit toujours être utilisé en plus petite quantité. N'hésitez pas à diluer vos produits ménagers (liquide vaisselle, shampooing, savon) avec un peu d'eau. Vous en utiliserez moins et ils seront tout aussi efficaces.

Préférez aussi des **produits rechargeables** (adoucissants, lessives, détergents multi-usages...), en conditionnements plus simples et plus légers. Ils sont souvent moins chers et plus faciles à transporter comme à stocker.

Gare aux produits toxiques

Le site Greenpeace Vigitox (www.vigitox.org) met régulièrement à jour la liste des produits toxiques présents dans la maison et leur impact sanitaire.
Paranos s'abstenir !

···> Les produits multi-usages [26]

On trouve des produits nettoyants multi-usages dont l'impact sur l'environnement est réduit. Il ne faut pas se fier aux promesses sur l'emballage, mais vérifier la composition (par exemple : est-ce que les tensioactifs sont d'origine végétale ?) et s'assurer de la présence d'un éco-label.

Une recette de vaporisateur multi-usages

25 cl de vinaigre
75 cl d'eau
1 cuillerée à soupe de liquide vaisselle, écologique de préférence
Quelques gouttes d'huile essentielle aux propriétés désinfectantes (Tea tree ou citron sont particulièrement recommandées)

Cette préparation est destinée au nettoyage de toutes les surfaces lavables, notamment dans la cuisine.

Le vinaigre blanc (acide acétique)

Découvert en Mésopotamie vers 3000 av. J.-C., il fut longtemps le seul acide industriel. Le vinaigre blanc remplace, seul ou combiné à du bicarbonate de sodium, une grande partie des produits d'entretien classiques (avec une efficacité souvent identique, voire supérieure).
Il empêche les traces sur la vaisselle, détartre et élimine les traces de cire et de résine. Le vinaigre sert aussi à laver les vitres, les sols (un verre dans un demi-seau d'eau) et les sanitaires (lavabo, baignoire, robinetterie, miroir : au revoir, le calcaire !).
Il rafraîchit aussi les couleurs des tapis (utilisez-le dilué et brossez) et il paraît qu'il peut même neutraliser les taches d'eau de Javel si on l'applique immédiatement ! Un vrai produit miracle, imbattable question prix : moins d'un euro le litre ! De plus, le vinaigre, 100 % biodégradable, a un impact négligeable sur l'environnement.

26. Pour connaître mille trucs de ménage écolo, téléchargez le très pratique livre de Raffa *Recettes écologiques et économiques pour l'entretien de la maison* sur http://raffa.over-blog.com/article-1583333.html.

Pour détartrer la cafetière : versez un peu de vinaigre avec de l'eau dans le bac, faites chauffer, rincez, et le tour est joué !

Le savon noir

Fabriqué à partir d'huile végétale et de potasse, c'est un excellent nettoyant multi-usages, très dégraissant et détachant. Il permet de dégraisser les hottes et les fours, de nettoyer les vitres, d'enlever des taches de goudron ou de décaper de la peinture à l'huile (il entretient d'ailleurs les pinceaux). Il peut aussi être utilisé comme détachant avant lavage. Enfin, il nettoie en profondeur, fait briller, nourrit et protège les surfaces, en particulier les ardoises, le marbre, tous les carrelages ou les linos. Il n'est pas nécessaire de rincer ensuite. Attention, le savon noir est très concentré (ce qui justifie son prix assez élevé) ! Une à deux cuillerées à soupe de savon noir liquide (ou une cuillerée à café de savon mou) dans un seau suffisent pour l'entretien des sols.

Pierre d'argile universelle

La pierre d'argile bio est un élément naturel et écologique. C'est un nettoyant qui se présente comme un produit solide ; on frotte une éponge sur celui-ci pour l'imprégner d'argile. La pierre d'argile détartre, dégraisse, désoxyde, donne éclat et brillance, et dépose un film protecteur. La pierre d'argile blanche contribue au respect de l'environnement.
Les pierres d'argile (blanches ou d'argent) ont en commun les ingrédients suivants : argile, savon végétal, huile végétale et huile essentielle.

Autres produits éco-ménagers

Le sel fin

Il fait briller la porcelaine et le cristal (astiquez avec un chiffon doux « trempé » dans le sel). L'eau salée prolonge la vie des brosses en fibres végétales. Elle est idéale aussi pour raviver les couleurs des vêtements (dans la lessive) et des tapis (saupoudrez, brossez, laissez agir 15 minutes, puis passez l'aspirateur).

Le jus de citron (acide citrique)

Il nettoie les éponges visqueuses, détache la terre cuite et la céramique, détartre les robinets et offre une seconde vie au rotin (deux cuillerées à soupe de jus de citron dans un litre d'eau) et aux éponges.

Mais aussi…

• La terre de Sommières élimine les taches des moquettes et des tissus.
• Le blanc de Meudon lave les carrelages.
• L'huile de lin protège le bois et le métal de l'humidité.
• L'huile d'olive nourrit et fait briller le bois.
• Le bicarbonate de sodium décape le four (voir *Comment nettoyer son four sans utiliser de produits hyper toxiques*, p. 52) et permet de supprimer les mauvaises odeurs du réfrigérateur.

À vos chiffons !

• Pour entretenir la semelle du fer à repasser, vous pouvez l'astiquer avec un coton trempé dans du vinaigre et saupoudré de sel fin.
• Le four à micro-ondes s'entretient à l'aide d'un bol d'eau avec une tranche de citron. Déposez-les dans le four et faites chauffer jusqu'à formation d'une grande quantité de vapeur. Essuyez ensuite avec un chiffon absorbant.
• Les ustensiles de cuisine comme les cuillères en bois sont désinfectés par un bain de vinaigre.
• Pensez au papier journal humide pour faire les vitres sans produit… Ou encore, optez pour le vinaigre d'alcool blanc, de l'eau et quelques gouttes d'huiles essentielles de citron.

Attention à la Javelmania !

L'eau de Javel a des propriétés détachantes, blanchissantes, désinfectantes et désodorisantes. Elle est active sur les bactéries, les virus, les champignons et les algues. Elle est utilisée dans les toilettes, les sanitaires, les poubelles, sur les sols, mais également en addition de lessives. Cessons d'aseptiser nos maisons, car c'est une mission impossible : on ouvre la fenêtre, on pénètre dans une pièce en venant de l'extérieur et tout est à recommencer…

L'eau de Javel perturbe par ailleurs l'équilibre bactérien des habitations. En effet, notre habitation contient des germes pathogènes qui vivent en équilibre avec d'autres, non pathogènes. Si cet équilibre est perturbé, certains germes pathogènes vont se développer aux dépens des autres et augmenter le risque de contamination et de maladie.

Mieux vaut dépoussiérer et nettoyer régulièrement avec de l'eau chaude et un détergent universel que de décrasser et désinfecter une fois de temps à autre.

Le b.a.-ba de la Javel

• Achetez un produit dilué plutôt qu'un produit concentré ou que des pastilles. En effet, le produit concentré est plus agressif en cas d'accident.

• Ne mélangez jamais l'eau de Javel à d'autres produits d'entretien (ammoniaque, détartrant pour W-C, acide...) : ne les utilisez pas simultanément, ni même l'un après l'autre sans un bon rinçage intermédiaire.

• L'eau de Javel ne devrait être utilisée qu'exceptionnellement : en aucun cas tous les jours ni même toutes les semaines, car elle détruit tout... jusqu'au moment où les microbes vont finir par s'habituer et résister ! Ouvrez la fenêtre lors de chaque utilisation : ce puissant désinfectant est très toxique.

• Conservez-la au frais, à l'abri de la lumière et du soleil.

• En cas d'accident avec de l'eau de Javel, contactez le centre antipoison le plus proche (à Paris : 01 40 05 48 48) et/ou un médecin.

···❖ Comment déboucher éviers et canalisations ?

(Voir aussi *Dans la salle de bains*, p. 76.)

Déboucher sans produits chimiques

Un évier (ou un lavabo) bouché fait partie des petits tracas courants. Pour en limiter la fréquence, il faut penser à jeter les déchets des assiettes et de la préparation des plats dans la poubelle avant de faire la vaisselle. On peut aussi équiper son évier d'une crépine : placée sur l'orifice, elle retient les déchets qui voudraient fuir par la canalisation.

Évitez les déboucheurs liquides agressifs. Ces produits contiennent de la soude caustique polluante. Préférez la ventouse en caoutchouc, ou le nettoyage manuel du siphon engorgé, souvent plus efficace. En cas d'obstruction, l'eau bouillante, la ventouse, la spirale métallique ou la pompe à vide sont des moyens recommandés, contrairement aux produits chimiques polluants. Avec un peu d'entraînement, il est facile de démonter le siphon pour le nettoyer.

Comment éviter les produits chimiques ?

• Débouchez les canalisations avec une ventouse plutôt qu'avec de la soude.

• Détartrez la robinetterie avec une brosse à dents imbibée de vinaigre.

• Nettoyez évier et baignoire au vinaigre blanc.

• Nettoyez les petites taches ou les endroits d'accès difficile avec une (vieille) brosse à dents imbibée de savon.
• Utilisez du savon totalement biodégradable (comme le savon de Marseille) plutôt que des détergents synthétiques.
• Pour la lessive, utilisez des noix de lavage, procédé naturel et moins cher à l'usage que les lessives synthétiques (voir *Adoptez une lessive naturelle,* p. 85).
• Si l'usage d'un déboucheur liquide est nécessaire, évitez le surdosage et choisissez de préférence un produit totalement biodégradable et non toxique. Tenez compte des recommandations avant d'utiliser ou de jeter un produit chimique.

Astuces diverses

Lutter contre les mauvaises odeurs

• Dans les toilettes, vous pouvez placer un petit bouquet de lavande.
• Dans la cuisine, placez une pomme d'ambre (une orange piquée de nombreux clous de girofle) ou encore un petit sac de toile contenant des clous de girofle et quelques bâtons de cannelle et épis de blé.
• Certains aliments comme le poisson ont une odeur prononcée, il vaut mieux ne pas les laisser dans la poubelle trop longtemps pour éviter que leur fumet n'imprègne celle-ci.
• Dans les armoires à linge, de la lavande ou des petits savons naturels dispersés évitent l'odeur de « renfermé ».
• Dans le réfrigérateur, pour chasser l'odeur du poisson de la veille ou du camembert trop fait, rien de tel qu'un petit pot ouvert contenant du bicarbonate de sodium.
• Faites brûler du papier d'Arménie (voir *Pour désodoriser,* dans la section sur le salon, p. 36).

Pour nettoyer les objets en argent

Commencez par frotter avec du vinaigre blanc. Rincez ensuite à l'eau savonneuse. Le vinaigre peut être chaud pour plus d'efficacité. Certains vantent les mérites du... dentifrice.
Vous pouvez également utiliser de la pierre d'argent. C'est une pâte à base d'argile (aussi appelée « pierre verte ») qui nettoie particulièrement bien tout ce qui est argenterie et bijoux. Écologique, elle ne sent pas mauvais. On peut nettoyer beaucoup de choses avec, de la baignoire aux chromes en passant par l'argenterie. On la trouve en magasin de bricolage.

Se débarrasser des insectes de la maison

Certains insectes envahissent parfois notre intérieur.

Pour éloigner les fourmis, on peut utiliser le citron, soit coupé en deux et placé à l'endroit où l'on ne souhaite pas qu'elles viennent, soit en huile essentielle. Les feuilles de laurier ou encore le cerfeuil pilé les éloignent également.

Contre les mites, préférez à l'antimite la lavande, le bois de cèdre ou l'essence de serpolet, et surtout aérez votre intérieur.

Contre les mouches, un citron coupé en deux fonctionne, pour peu qu'on le pique avec quelques clous de girofle.

Vos éco-gestes d'or

À vous de jouer ! Et si vous changiez un tout petit peu votre quotidien ? Et si vous choisissiez cinq éco-gestes d'or dans ce chapitre sur la cuisine ?
En fonction de votre personnalité, certains actes vous semblent insurmontables (vos habitudes vous paraissent trop ancrées...), d'autres en revanche vous vont déjà comme un gant !
Vous verrez, lorsque vous aurez pris une décision (et pas seulement une « bonne résolution »), chaque fois que vous la mettrez en pratique, vous vous sentirez lié à la Terre par un fil invisible...

Notez ici les cinq éco-gestes retenus, en signe de votre engagement. Ce peut être l'occasion d'avoir une conversation familiale où chacun choisit les gestes qu'il va introduire dans son quotidien. Une autre façon d'aller, ensemble, vers l'avenir...

P.-S. Si vous vous sentez motivés par plus de cinq éco-gestes, n'hésitez pas !

Je m'engage à :

VOUS : ____________________

1. ____________________

2. ____________________

3. ____________________

4. ____________________

5. ____________________

VOTRE CONJOINT :

1.
2.
3.
4.
5.

LES ENFANTS :

1.
2.
3.
4.
5.

1.
2.
3.
4.
5.

Dans la chambre...

Pour une bonne nuit de sommeil, on laisse les soucis à la porte. Pourquoi ne pas en profiter pour y laisser aussi quelques mauvais réflexes ?

Un air de qualité

···› Le b.a.-ba : aérer chaque jour

(Voir *Aérer* dans la section consacrée au salon, p. 35.)

Aérer quotidiennement est une habitude saine. Vous pouvez le faire le matin pendant que vous prenez votre petit déjeuner ou encore le soir avant d'aller vous coucher. Ouvrez les fenêtres en grand pendant dix minutes, c'est le temps nécessaire pour renouveler tout l'air d'une pièce. Méfiez-vous des ionisateurs et purificateurs d'air. Ces appareils sont très polluants du fait des moteurs de mauvaise qualité qu'ils contiennent.

…⁘ Le top 5 de l'hygiène

Pour préserver la salubrité de l'atmosphère d'une chambre, il est important de se plier à quelques règles simples :

❶ dépoussiérer régulièrement à l'aide d'un chiffon ;

❷ changer les draps tous les quinze jours ;

❸ ouvrir les fenêtres en grand dix minutes par jour ;

❹ passer l'aspirateur deux fois par semaine, particulièrement sur la moquette (vérifiez chaque fois l'état des filtres) ;

❺ battre les tapis à l'extérieur (c'est, par ailleurs, un bon moyen de lutter contre les acariens).

Modérer la température

Quand nous sommes sous la couette, nous n'avons aucunement besoin de surchauffer la pièce ! Les pieds au chaud et le bout de nez au frais, rien de mieux pour la santé... Une température de 16 ou 17 °C dans la chambre suffit. En plus, c'est meilleur pour le sommeil ! De même, il est recommandé de fermer les rideaux et les volets la nuit pour éviter les grosses pertes de chaleur (30 à 50 % selon le vitrage).

Quand on le sait, on ne peut plus l'oublier !

Avant d'aller au lit, faites le tour de votre maison pour tout éteindre. De même, lorsque vous allumez les lumières le matin dans la chambre, la cuisine, la salle de bains, n'oubliez pas de les éteindre dès qu'il fait suffisamment jour ou que vous quittez la pièce.

La nature de la literie

Concernant les matelas, ceux en mousse (matériau artificiel) ne sont pas écologiques et s'avèrent néfastes pour le dos. Il existe des matelas en fibres naturelles dont les propriétés garantissent une hygiène et un confort améliorés et un impact écologique moindre : la laine, la fibre de coco, le crin de cheval et le latex naturel ont la particularité de laisser votre literie respirer et de mieux réagir à la transpiration nocturne [27].

27. Source : WWF.

Vos éco-gestes d'or

À vous de jouer ! Et si vous changiez un tout petit peu votre quotidien ? Si vous adoptiez cinq éco-gestes parmi ceux concernant votre chambre ?
En fonction de votre personnalité, certains actes vous semblent insurmontables (vos habitudes vous paraissent trop ancrées...), d'autres en revanche vous vont déjà comme un gant !
Vous verrez, lorsque vous aurez pris une décision (et pas seulement une « bonne résolution »), chaque fois que vous la mettrez en pratique, vous vous sentirez lié à la Terre par un fil invisible...

Notez ici les cinq éco-gestes retenus, en signe de votre engagement. Ce peut être l'occasion d'avoir une conversation familiale où chacun choisit les gestes qu'il va introduire dans son quotidien. Une autre façon d'aller, ensemble, vers l'avenir...

P.-S. Si vous vous sentez motivés par plus de cinq éco-gestes, n'hésitez pas !

Je m'engage à :

VOUS : ______________________

1. ______________________

2. ______________________

3. ______________________

4. ______________________

5. ______________________

VOTRE CONJOINT :

1.

2.

3.

4.

5.

LES ENFANTS :

1.

2.

3.

4.

5.

1.

2.

3.

4.

5.

Dans la salle de bains...

Hygiène et détente font couler beaucoup d'eau...

La salle de bains a longtemps été une affaire de privilégiés

La plus ancienne salle de bains découverte à ce jour se trouvait dans le palais de Cnossos, en Crète, où résidait le roi Minos (1700 av. J.-C.). Elle disposait de l'eau courante, chaude et froide, et de fontaines en or, en argent ou en pierres précieuses. Malheureusement, cette technologie se perdit et n'apparut plus pendant des millénaires. On trouve des traces de baignoires en métal dès le Moyen Âge. Déjà Saint Louis se retrouvait seul dans sa baignoire, qui le suivait dans tous ses déplacements. Au XIXe siècle, pour leur hygiène corporelle, les hommes et les femmes misaient sur le parfum et la poudre plutôt que sur l'eau. Ce qui n'empêcha pas la construction de somptueuses salles de bains pour « épater la galerie ». À Versailles, sous Louis XIV, on dénombrait plus de cent salles de bains. Et Napoléon avait fait installer une salle d'eau dans toutes ses résidences.

Mais l'histoire de la salle de bains moderne en Europe remonte au XVIIIe siècle. Au XIXe, les salles de bains furent surtout réservées aux maisons de maître, car seuls les nantis pouvaient se les offrir. En 1871, deux tiers seulement des immeubles d'habitation de la ville de Zurich étaient raccordés au réseau d'eau courante. Et jusqu'en 1950, seuls 69 % des appartements de location en Suisse étaient équipés d'une salle de bains.

Encore et toujours, économiser l'eau

Sous le règne de François Ier, un Parisien disposait d'un litre d'eau potable par jour. Depuis, notre consommation a explosé. Or les nappes phréatiques ne sont pas inépuisables...

···⁘ La chasse aux fuites

EAU POTABLE GASPILLÉE PAR JOUR SELON LA FUITE	
Un robinet	Jusqu'à 120 litres
Une chasse d'eau	Jusqu'à 600 litres, soit la consommation par jour d'une famille de quatre personnes

En traquant les gaspillages, les fuites et les différents usages peu judicieux de l'eau potable, on fait des économies d'eau importantes. Une famille de quatre personnes peu soucieuse de sa consommation d'eau et mal équipée (pas de lave-linge ni de lave-vaisselle économes, robinets qui fuient...) consomme deux fois plus d'eau par an qu'une famille économe.
La chasse aux fuites est la première règle d'or. Si un de vos lavabos, un de vos robinets ou une de vos canalisations fuit, vous pouvez laisser filer l'équivalent d'un bain par semaine. Vos toilettes fuient, vous pouvez perdre l'équivalent de deux bains par semaine [28]. Soyons attentifs...

Identifier la fuite et la réparer au plus vite

Une petite fuite (10 gouttes par minutes) gaspille un mètre cube d'eau par an, l'équivalent des besoins alimentaires d'un adulte. Au total, les fuites sont à l'origine d'un gaspillage qui représente près de 20 % de notre consommation. Or, la plupart du temps, il s'agit d'un simple joint défectueux : cela vaut la peine de se retrousser les manches et d'apprendre à le changer !

Pour localiser une fuite, contrôlez votre consommation après avoir fermé un par un les robinets d'arrivée (sous l'évier, sous le lavabo, celui de la chasse d'eau...). Notez le chiffre du compteur d'eau, par exemple avant d'aller dormir. Si au réveil le compteur a tourné, cela révèle une fuite.

Oublier les bains !

Certes, il n'y a rien de plus délassant qu'un bon bain aux huiles essentielles... Mais gardez ce moment de volupté pour quelques jours privilégiés – une fois par semaine par exemple – et préférez la douche le reste du temps. D'une part, elle est plus adaptée au quotidien : elle est plus tonique et hygiénique que les bains. D'autre part, prendre une douche plutôt qu'un bain, c'est diviser au minimum par trois sa consommation d'eau ! Les 67 % de Français qui prennent leur douche chaque jour l'ont compris [29].
Un bain consomme 150 à 200 litres, une douche de 4 à 5 minutes, 30 à 80 litres d'eau – du moins si on coupe le robinet pendant que l'on se savonne. Sinon, cela revient quasiment au même...

28. Netecolo : www.netecolo.com/.
29. Georges Vigarello, *Le Propre et le sale*, Seuil.

Traquer les bouchons

Les cheveux et autres matières organiques sont une source de bouchons dans les canalisations. Après la douche, le bain ou la coiffure, il suffit de les récupérer et de les jeter dans la poubelle pour éviter ces désagréments.

···❖ Robinets : savoir les fermer, les ouvrir à bon escient

Ne laissez pas l'eau couler sans raison : 12 litres par minute, c'est le débit courant d'un robinet qu'on laisse ouvert. Si on laisse couler l'eau en se lavant les dents ou en se rasant, on gaspille alors environ 10 000 litres d'eau par an.
• Brossage de dents : ne laissez pas couler l'eau, utilisez un gobelet.
• Rasage « au fil de l'eau » : 18 litres. Il est facile de remplir un peu le lavabo pour nettoyer son rasoir.

Fermez bien les robinets, mais sans forcer car cela écrase le joint et accélère l'apparition d'une fuite.
Fermez partiellement le robinet d'arrivée d'eau des lavabos et éviers afin de limiter le débit maximal.

···❖ Réduire le débit d'eau selon l'équipement

Économiser l'eau chaude, c'est économiser à la fois l'eau et l'énergie nécessaire à son chauffage.
• Aérateur (ou mousseur) : 30 à 50 % de réduction de débit selon les modèles.
C'est la solution à mettre en place afin d'épargner l'eau et de réaliser des économies. Le débit d'un robinet non équipé pouvant monter à 12 litres par minute, avec un aérateur il peut être réduit à 6 litres par minute.
• Robinet mitigeur (robinet thermostatique) : 10 % de réduction de débit.
Avec une robinetterie classique, on met longtemps à régler la température de l'eau. Avec les mitigeurs, on peut ouvrir et fermer l'eau sans changer le réglage de température. On ne tâtonne plus pour obtenir la température idéale et l'on évite ainsi du gaspillage.
• Stop douche ou stop robinet (pour la douche comme pour le robinet de la cuisine) : lorsque l'on prend sa douche ou que l'on fait la vaisselle, on veut pouvoir couper l'eau sans devoir ensuite la re-régler à la bonne température. Il existe pour cela des petites bagues qui s'installent très facilement, à hauteur du robinet ou du pommeau de douche, et qui permettent de couper l'eau tout en conservant la température souhaitée. Moins cher que le mitigeur pour un rôle identique.

Quand on le sait, on ne peut plus l'oublier !

Laissez de préférence le robinet mitigeur en position « froid » pour éviter de demander de l'eau chaude ou tiède alors que, la plupart du temps, on a besoin d'eau froide.

Quelle température pour l'eau chaude sanitaire ?

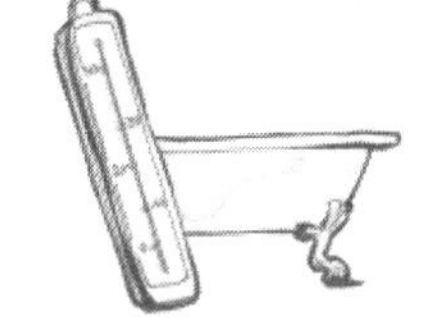

L'eau chaude représente 12 % de la consommation énergétique de la maison.

- Pour les absences prolongées et les vacances, utilisez le réglage approprié ou coupez le chauffe-eau.
- Limitez la température du ballon d'eau chaude : si vous le pouvez, une température de 50 à 60 °C est largement suffisante pour l'eau contenue dans votre ballon plutôt qu'une température de 80 °C. Vous économiserez ainsi une chauffe supplémentaire inutile. C'est assez pour limiter le développement de bactéries, mais pas pour éviter l'entartrage du chauffe-eau.
- Choisissez bien la capacité du ballon d'eau chaude. En fonction de la taille de votre ménage, vous pouvez adapter celle de votre ballon à vos besoins. En moyenne, une personne a besoin de 50 litres d'eau chaude par jour.

Les produits d'hygiène

Nos salles de bains sont inondées de produits d'hygiène et de cosmétiques qui n'ont souvent de vert que le nom apposé abusivement sur l'étiquette. Avons-nous vraiment besoin d'autant de produits pour notre vie de tous les jours ? Et si nous retrouvions une certaine simplicité ? Quand vous utilisez du shampooing, du savon liquide ou du dentifrice, veillez à prendre la bonne dose. Si vous en mettez beaucoup, cela ne lavera pas mieux, mais il faudra rincer plus longtemps, donc vous consommerez plus d'eau. Encore du gâchis...

Cosmétiques verts [30]

Avec 9 % de croissance prévue en 2008 sur le segment de la cosmétique naturelle contre 1 % estimé pour la cosmétique classique [31], le créneau est plus que porteur. Les grands groupes ne pouvaient rester longtemps indifférents... Faites confiance au label cosmétique bio-écologique, lancé par l'association Nature et Progrès [32]. Quinze marques portent actuellement ce label. Il existe un autre organisme de

30. À lire : Rita Stiens, *La Vérité sur les cosmétiques*, Leduc S.
31. Statistiques Euromonitor International.
32. Site : www.natureetprogres.org.

certification, Ecocert[33]. Une cinquantaine de fabricants sont référencés. Mais attention aux cosmétiques qui s'autoproclament « naturels ».

Quand on le sait, on ne peut plus l'oublier !

Consultez les dates de péremption. Un produit « bio » ne contenant pas ou peu de conservateurs, il se conserve moins longtemps qu'un produit traditionnel.

Pour les cheveux

Achetez un seul shampooing[34]

Il existe des shampooings pour bébé, antipelliculaires, pour cheveux colorés, nourrissants, démêlants... Que de flacons ! Si vous n'avez pas de problème particulier, optez pour un shampooing général, de modèle familial et du type 2 en 1 (shampooing + démêlant).

Si vos cheveux sont trop ternes, agissez d'abord sur le stress, adoptez une alimentation équilibrée et effectuez un massage du cuir chevelu.

Le henné : pour gainer et embellir le cheveu

On trouve dans le commerce du henné neutre ou de couleur. Le véritable henné est de couleur « chaude », cuivré, rouge, ou auburn. Toutes les autres couleurs, le noir étant le pire, comportent des éléments chimiques. À éviter donc.

Le henné neutre peut s'utiliser une fois par semaine en cas de cheveux gras.

33. Site : www.ecocert.fr.
34. Source : *Psychologies*, avril 2007.

À savoir : si vous utilisez du henné, vous ne pourrez plus faire de teintures ni de permanentes chimiques. Le henné gaine les cheveux et empêche les produits chimiques d'agir normalement. Cela peut même donner des résultats catastrophiques !

Astuces

• Le vinaigre est magique sur les cheveux. Il permet d'éliminer les pellicules, tout en rendant les cheveux brillants.

• Pour faire un masque nourrissant, écrasez une banane bien mûre et ajoutez quelques gouttes d'huile d'amande douce. Appliquez sur les cheveux quelques minutes avant le shampooing [35].

Redécouvrir le savon

Le gel douche contient des parfums synthétiques, des agents tensioactifs et des conservateurs parfois peu biodégradables. Même si certaines marques certifient que leurs gels douche sont à base de produits naturels, le savon lave mieux et empêche le développement des bactéries et des champignons. Il se rince sans laisser de film sur la peau. Préférez-le à base de végétaux (aux algues, à l'huile d'olive...). Et appliquez une huile ou une crème hydratante après.

Le pain d'Alep, une recette ancestrale à base d'huile d'olive

Lointain ancêtre de son cousin marseillais, le véritable savon d'Alep fut élaboré par les Mésopotamiens entre les rives de l'Euphrate et de la Méditerranée. Ce savon est fabriqué selon un procédé inchangé depuis des dizaines de siècles. À base d'huile d'olive (plus de 75 %), il est cuit au chaudron et enrichi à l'huile de laurier. Séché neuf mois au soleil de l'Orient, il possède une dureté qui limite son usure. Vous pouvez l'utiliser pour tout le corps et même pour les cheveux.

Trucs divers

À bas les déodorants !

Les déodorants contiennent quelques dizaines de produits chimiques. Pourquoi ne pas « oser » des jours « sans déo » et des jours où l'on met juste un peu de talc, beaucoup plus pur ?

35. Chantal Clergeaud, *Votre beauté au naturel : comment préparer vous-même tous vos produits de beauté*, Éd. Dangles. À visiter également, le site d'une blogueuse érudite qui concocte elle-même ses cosmétiques bio : www.princesseaupetitpois.over-blog.com.

Connue depuis des générations pour ses propriétés hémostatiques, la pierre d'alun est une excellente alternative au déodorant. Elle agit différemment : elle ne couvre pas l'odeur par une autre, elle n'empêche pas non plus de transpirer, elle évite tout simplement la prolifération des bactéries responsables des mauvaises odeurs.

Se raser à l'économie [36]

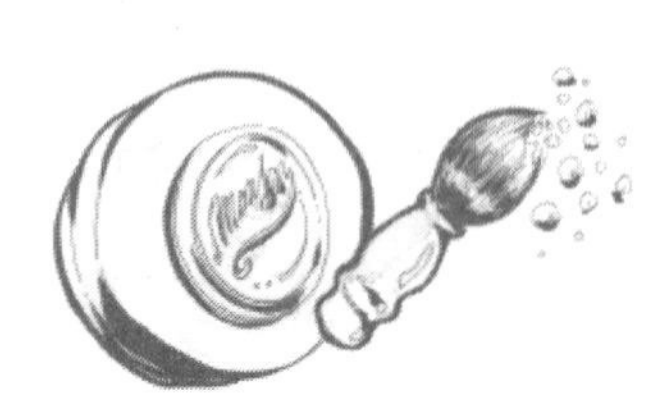

Les hommes attentifs à leur peau le confirment : se raser avec un rasoir classique prend plus de temps qu'avec un rasoir électrique ou à piles, mais c'est aussi plus doux, plus réussi et plus écolo. Bannissez les rasoirs jetables.
Remplissez le lavabo à moitié pour économiser 50 % d'eau chaude. En effet, un rasage « au fil de l'eau » consomme pas moins de 18 litres !
Évitez la mousse à raser (qui nécessite plus de rinçage, et les aérosols ne sont pas toujours recyclables). Le mieux est d'étaler un savon à barbe bio avec un blaireau (au manche en bois !). Ce dernier favorise l'élimination des cellules mortes de l'épiderme et permet de soulever les poils en effectuant des mouvements circulaires réguliers.

Astuce

Cosmétiques (shampooings, bains mousse...) : optez pour les conditionnements de 400 ml ou utilisez des recharges.

Quand on le sait, on ne peut plus l'oublier !

Les dentistes conseillent de changer de brosse à dents tous les trois mois au minimum. Préférez une brosse à tête changeable, cela économise des manches non recyclables car souvent bicolores et composés de deux plastiques différents.

Que faire des vieux thermomètres à mercure [37] ?

Le mercure est un déchet toxique. On le trouve dans les vieux thermomètres (et également dans les tubes fluorescents et notamment les ampoules fluocompactes basse consommation). Ces derniers sont interdits à la vente depuis le 1er janvier 2000, mais combien de particuliers en ont encore dans leur armoire à pharmacie ? Ils doivent faire l'objet d'une collecte sélective spécifique, organisée par la collectivité locale (renseignez-vous en mairie). Certaines pharmacies acceptent de les récupérer.

36. Source : www.psychologies.com/.
37. Source : www.consodurable.org/.

En cas de bris de thermomètre à mercure

Lorsqu'un thermomètre ou tout autre instrument contenant du mercure se casse, la personne qui procède au ramassage des débris doit :

• **Se protéger :**
• ôter ses bijoux, car le mercure forme un amalgame et dissout l'or, l'argent et certains métaux ;
• mettre des gants résistant aux produits chimiques (pour prévenir les éventuelles irritations cutanées chez les personnes hypersensibles au mercure et éviter les coupures dues au verre) ;
• ventiler la pièce (pour évacuer les vapeurs de mercure).

• **Pour collecter le mercure :**
• prendre un morceau de papier type essuie-tout pour ramasser les débris de verre ;
• collecter le mercure à l'aide d'une raclette ou d'une seringue en plastique jetable ;
• récupérer le reste à l'aide de bandes de ruban adhésif ;
• placer le mercure dans un récipient étanche de petit volume (compte tenu de la densité élevée du mercure), incassable, de préférence en plastique (jamais métallique). Ce récipient devra être fermé hermétiquement car les vapeurs de mercure sont toxiques.

• **Pour entreposer le mercure avant de remettre le récipient à la pharmacie :**
• placer le contenant à l'abri des matières oxydantes, des acides et des métaux, dans un endroit frais et bien ventilé.

Pour éliminer ces déchets, il convient que l'établissement fasse appel à des sociétés spécialisées dans l'élimination des déchets toxiques liquides.

Il ne faut jamais utiliser d'aspirateur ou de balai (pour ne pas contaminer ces équipements ainsi que les poussières ou l'air remis en circulation) et ne jamais jeter le mercure dans un évier (le mercure s'accumule dans le siphon de l'évier et le contact avec l'eau chaude pourrait générer des vapeurs de mercure).

Le lavage du linge

Pour préserver l'environnement, une lessive doit impérativement être concentrée (plus de produit pour moins d'emballage), contenir des tensioactifs d'**origine végétale** et, dans l'idéal, être « éco-labellisée ». L'important dans le choix d'une lessive est le temps qu'elle met pour se dégrader complètement. Moins de 28 jours est aujourd'hui un bon objectif.

···⁘ La lessive

Le dosage de la lessive : de vrais progrès !

En cinq ans, 100 000 tonnes de lessive ont été économisées ! Pour une charge de 5 kg de linge, la consommation moyenne de lessive est passée de 150 g par lavage en 1997 à 110 g aujourd'hui [38]. De fait, l'apparition des lessives compactes ou concentrées a bouleversé nos habitudes de lavage : les quantités de produit nécessaires sont réduites de 30 à 50 % ! Elles sont donc moins polluantes, moins chères et génèrent moins de déchets d'emballage. Plus légères et moins encombrantes, elles sont aussi faciles à transporter et à stocker.

Nous devons apprendre à les doser correctement et résister à la tentation d'en mettre un peu plus. Utiliser plus de produit qu'il n'en faut est un gaspillage inutile. De plus, les résidus de lessive, insuffisamment rincés, s'incrustent dans les fibres, ce qui abîme les textiles et irrite la peau. Appuyez-vous sur les quantités minimales conseillées, voire mettez-en un peu moins. Si le linge est très sale, il vaut mieux recourir au trempage que forcer sur la dose. De même, s'il y a certaines taches tenaces (jaunissement des cols de chemise, café...), mieux vaut les imprégner avant lavage d'un produit spécifique antitache que d'augmenter la dose de lessive.

Savez-vous qu'une lessive en poudre rejette trois fois moins de tensioactifs qu'une lessive liquide ? À utilisation équivalente, la poudre compacte est encore moins polluante que la poudre ordinaire.

Quand on le sait, on ne peut plus l'oublier !

• Utiliser une lessive sans phosphates évite la prolifération d'algues microscopiques, dangereuses pour la vie aquatique. Aujourd'hui, les quantités de phosphates mesurées

38. Source : www.consodurable.org.

dans les rivières sont dix à quinze fois supérieures aux teneurs naturelles. Attention aussi aux tensioactifs, qui seraient pires que les phosphates. Appréciés pour leur pouvoir moussant et dégraissant, ils sont présents dans tous les produits de lessive. Difficilement dégradables, ils ravagent les fronts de mer.

Lessive sans phosphates

Depuis le 1er juillet 2007, toutes les lessives commercialisées pour le grand public ou les collectivités sont sans phosphates. La généralisation des lessives sans phosphates fait partie du plan d'amélioration de l'état des eaux qui doit permettre à la France d'atteindre le bon état écologique de ses eaux, imposé par l'Europe. Néanmoins, comme le souligne le site univers-nature.com, cette annonce est une goutte d'eau en comparaison de la principale source d'eutrophisation des rivières : les engrais agricoles. Ceux-ci restent en distribution libre (720 000 tonnes en ont été répandues en 2004) et une future loi sur l'eau ne prévoit ni de les limiter ni de les taxer...

Adoptez une lessive naturelle : les noix de lavage

Constituées de caoutchouc recyclé, les noix de lavage (lessive bio 100 % naturelle [39]), glissées avec le linge dans le tambour de l'appareil, sont très efficaces : 30 % d'eau et 20 % de lessive en moins. Attention ! Évitez tout de même de les utiliser avec des vêtements vraiment fragiles et sachez qu'elles sont **peu efficaces contre les vraies taches.** Utilisez-les en lessive courante (placez quatre à six noix dans une chaussette).

En Inde et au Népal, la noix de lavage (issue de l'arbre *Sapindus mukorossi,* un arbre à savon) est employée depuis des siècles comme lessive quotidienne. Ces noix, riches en saponine – une substance qui mousse au contact de l'eau chaude et reste inactive à l'eau froide lors du rinçage – donnent une lessive 100 % naturelle. Elles sont efficaces pour laver le linge et économiques, elles n'abîment pas les tissus et n'agressent pas les couleurs. Après avoir servi pour deux ou trois lessives, elles peuvent être réutilisées pour laver les sols...

··· Bien utiliser son lave-linge

Ces dernières années, les lave-linge ont fait de gros progrès : consommation d'eau moindre, efficacité de lavage accrue. Les lessives aussi : produits plus efficaces à basses températures et composants actifs à froid pour certaines d'entre

39. Pour aller plus loin : La noix de lavage, 4, rue de la Chambrette, 81330 Vabre. Tél. : 05 63 50 50 74. Site : www.lanoixdelavage.fr/ ou : http://noix-de-lavage.com/bonnes_raisons.htm.

elles. Ces progrès permettent d'obtenir de très bons résultats de lavage à basses températures.
Adoptez le bon programme. Faites tourner votre lave-linge de préférence à pleine charge. Lorsque votre machine n'est pas pleine, la touche « éco » ou « demi-charge » permet d'économiser non seulement de l'eau, mais aussi 25 % d'électricité en moyenne.
Évitez le prélavage. Cette opération n'est plus nécessaire avec les textiles modernes et s'en passer représente 15 % d'énergie économisée.

À quelle température laver ?

Le chauffage de l'eau est le poste qui contribue le plus au coût énergétique de la lessive. Avec les machines actuelles, **les basses températures suffisent pour la plupart des textiles et le prélavage est inutile.** Le lavage à froid devient même possible avec certaines lessives performantes. Un lavage à 30 °C consomme trois fois moins d'énergie qu'un lavage à 90 °C et un lavage à froid consomme deux fois moins qu'un lavage à 40 °C.

- Lavage à froid pour les textiles délicats et la laine.
- 30 à 40 °C pour les fibres synthétiques, les couleurs, le coton peu sale. Lavés à 30 °C, les tissus sont débarrassés de la poussière et des mauvaises odeurs mais pas des bactéries, qui ne disparaissent, elles, qu'à 60 °C.
- 60 °C pour le coton sale et les taches graisseuses.

Sauf pour le blanc, nul besoin de laver à 90 °C : à 60 °C, vous tuez les bactéries et votre linge est désinfecté.
De même, ne lavez pas forcément à 60 °C quand vous pouvez vous contenter de 40 °C.

Quand essorer à grande vitesse ?

Quand la matière des textiles l'y autorise. L'opération, plus brève, consomme moins d'électricité et le linge sèche plus vite.

Astuces

• Remplissez bien la machine : qu'elle soit pleine ou à moitié vide, l'énergie consommée pour faire tourner le tambour est la même. Le tambour doit être bien rempli et le linge bien tassé.

• Certaines précautions garantissent un fonctionnement efficace pour longtemps : nettoyer souvent le filtre et bien vider les poches des vêtements avant lavage.
• Au lieu d'utiliser l'adoucissant pour le linge, il est possible, en fin de lavage, d'ajouter du vinaigre et quelques gouttes d'huiles essentielles de lavande ou de citron.

Comment détartrer sa machine sans polluer l'environnement ?

• Mettez un litre de vinaigre dans la machine et laissez-la tourner sans linge. Répétez au moins une fois tous les trois mois.
• Chaque fois que vous lancez une lessive, ajoutez à la poudre une cuillerée à soupe de bicarbonate de sodium : cela adoucit l'eau, permet de réduire la quantité de savon et entretient aussi le lave-linge en attaquant le calcaire.
• Vous pouvez également ajouter un bouchon de vinaigre dans le bac d'assouplissant de la machine. Attention cependant : le vinaigre a tendance à attaquer les élastiques.

Éviter autant que possible le sèche-linge électrique

Sur un an, un sèche-linge consomme deux fois plus d'énergie qu'un lave-linge utilisé à 60 °C. **Un essorage, même à 600 tours par minute, suffit.** De plus, on ne trouve pas de sèche-linge de classe énergétique A en France.

• Si l'on possède un sèche-linge, il faut acheter une machine à laver dont l'essorage est très efficace et privilégier autant que possible le séchage naturel : il est gratuit et ne consomme pas d'électricité ! Profitez du soleil et du vent : la corde à linge ou l'étendoir sont des moyens naturels pour faire sécher le linge. Le sèche-linge électrique dépense environ 250 kWh par an, soit 15 % de la consommation annuelle d'électricité (hors chauffage).
• Le fonctionnement pendant les heures creuses est économique si l'on bénéficie de cette option tarifaire. Certaines machines sont équipées d'un « départ différé » qui permet de profiter facilement de cet avantage. L'appareil doit être silencieux pour ne pas gêner le voisinage.

Astuce : recyclez l'eau de l'air conditionné

Si vous avez l'air conditionné à la maison, vous pouvez récupérer l'eau en trop et la mettre dans votre fer à repasser : l'eau qui en sort est déminéralisée donc bonne pour les vêtements. Vous pouvez aussi la collecter dans un récipient pour arroser vos plantes.

... et dans les toilettes

Au Moyen Âge, les canalisations n'existaient pas. On vidait les pots de chambre par les fenêtres en poussant un cri d'avertissement. Les hommes courtois marchaient le long des bâtisses pour éviter tout désagrément aux dames [40]. Si les nobles se faisaient porter par des laquais, c'était pour éviter de marcher dans les déjections ! Plus tard, au château de Versailles, les courtisans se soulageaient derrière les tentures. Mais à la fin du XVIIIe siècle, la bourgeoisie triomphe. Architectes et urbanistes commencent à mettre en place des lieux d'aisance, encore appelés commodités puis toilettes publiques. Chez les particuliers, on les dissimule au fond du jardin. Au XXe siècle, les préoccupations hygiénistes et le goût du confort l'emportent ; on peut ainsi réserver un « petit coin » à l'intérieur des habitations. D'abord commun à tous les habitants d'un même palier d'immeuble, puis bientôt individuel, dans chaque appartement [41].

40. À lire : Morna Gregory et Sian James, *Toilettes du monde*, Hoëbeke.
41. Source : site Gaz de France, www.gestesdinterieur.fr/.

Optimiser le volume d'eau

Les chasses d'eau des toilettes consomment 20 % de l'eau quotidienne des Français, d'où l'intérêt des installations à débit économique...

···› Opter pour la chasse d'eau à double débit

Appelées aussi chasses d'eau à deux réservoirs, elles permettent de réduire le volume d'eau utilisé d'environ 15 litres par jour pour un foyer de deux personnes. Elles ont deux boutons : le gros bouton permet d'évacuer tout le contenu de la chasse tandis que le petit libère seulement 3 litres et sert ainsi pour les « petites commissions »... Une chasse d'eau classique consomme entre 6 et 12 litres d'eau, une à double commande, 3 à 6 litres.

Si vous n'avez pas de chasse à double commande, vous pouvez placer une bouteille d'eau pleine de sable dans le réservoir de la chasse d'eau de vos toilettes : vous économiserez ainsi à chaque utilisation de la chasse le volume de cette bouteille en eau.

···› Essayer les toilettes sèches !

Les toilettes à litière bio-maîtrisée peuvent remplacer, si vous avez un jardin et la possibilité de faire du compost, les toilettes classiques qui utilisent de l'eau.

Le principe ? Les excréments et l'urine s'entassent pendant quelques jours dans un réservoir (placé en dessous de la cuvette) qui contient de la sciure ou des copeaux de bois dont on recouvre chaque « présent ». Une fois ce réservoir presque plein, on se sert de son contenu (papier toilette compris) pour en faire du compost. Nous voilà au cœur de l'exploitation du cycle naturel de la matière organique...

···› Vérifier l'absence de fuite

Vérifiez régulièrement l'absence de fuite de la chasse d'eau en fermant le robinet après remplissage puis en l'ouvrant avant utilisation : si l'eau se met à couler, le réservoir fuit (cela peut représenter plusieurs dizaines de litres par jour).

···› Récupérer l'eau d'une autre origine

En France, une personne utilise en moyenne 30 litres d'eau par jour pour ses W-C, soit 20 % de sa consommation quotidienne. Avant de construire son logement, il est intéressant d'étudier la possibilité d'un second réseau d'eau, non potable, par exemple raccordé à un réservoir alimenté par de l'eau de pluie.

Pour la bonne marche des fosses septiques

Les fosses septiques défectueuses ou mal employées peuvent être très nocives pour l'environnement.

• Ne versez jamais de médicaments ni de produits chimiques domestiques comme l'eau de Javel dans les toilettes (ni même dans l'évier) pour ne pas détruire la flore bactérienne de la fosse septique.
• Assurez-vous de bien connaître l'emplacement des composantes de votre fosse septique et veillez à ce qu'aucun véhicule lourd ne circule dessus.
• Ne plantez jamais d'arbres ni d'arbustes près des tuyaux de drainage, parce que leurs racines pourraient les obstruer.

Les signes suivants indiquent que votre fosse septique fonctionne mal :
• Le sol qui recouvre le champ d'épuration est souvent détrempé ou spongieux.
• La végétation pousse beaucoup plus vite au-dessus du champ d'épuration.
• Des touffes d'herbe d'un vert éclatant apparaissent à proximité.
• La zone du champ d'épuration dégage des odeurs.
• Les eaux usées forment une flaque ou bouillonnent à la surface du champ d'épuration.
• L'écoulement est lent par les renvois d'eau, dans la maison.
• On sent des relents d'égout au sous-sol.

Si l'un ou l'autre de ces symptômes se manifeste, faites réparer la fosse septique dans les plus brefs délais. Vérifiez votre fosse septique chaque année et faites-en retirer les boues et l'écume tous les trois à cinq ans.

Divers

···> Les W-C ne sont pas une poubelle !

Évitez de déverser dans vos toilettes des substances qui peuvent être dangereuses et qui perturbent le bon fonctionnement des stations d'épuration. Mal éliminées, elles se retrouveront dans la nature.
Les restes de peintures ou de solvants, les huiles usagées et les médicaments sont aussi des déchets qu'il faut trier intelligemment, c'est-à-dire rapporter au lieu de

vente ou à la déchetterie, directement ou *via* les points de collectes de déchets spéciaux. Déversés dans l'eau, les produits chimiques, ainsi que tous les déchets solides, posent problème dans les stations d'épuration et souillent les nappes phréatiques, donc l'eau que nous boirons demain.

Astuce de nettoyage

Évitez d'abuser des produits antibactériens pour désinfecter les W-C : ils perturbent aussi les stations d'épuration, qui se servent des bactéries pour dépolluer les eaux usées. Rien de tel, là encore, que du bicarbonate de sodium mélangé à du vinaigre blanc.

Le papier toilette... pas si doux pour l'environnement

L'invention du papier toilette remonte au XIVe siècle, en Chine, et, s'il est fort utile, son impact sur les ressources forestières inquiète néanmoins. Un Européen utilise 13 kg de papier hygiénique par an. Le papier toilette est l'un des principaux ennemis de la planète, notamment au vu de la consommation d'eau nécessaire à sa fabrication et à son élimination.

Selon le WWF, à eux seuls, nos voisins suisses consomment plus de 5 000 arbres par jour, soit l'équivalent d'une surface de forêt de 160 000 m², ou encore de 22 terrains de football. Alors, là non plus, pas de gaspillage... Utilisez avant tout du papier recyclé, c'est pour l'instant la seule solution d'avenir !

Beige clair, le papier toilette 100 % recyclé a, certes, un contact un peu moins doux que le papier blanchi. Mais produire une tonne de papier recyclé économise 1 500 litres de pétrole et 12 000 à 32 000 litres d'eau !

Vos éco-gestes d'or

À vous de jouer ! Et si vous changiez un tout petit peu votre quotidien ? Et si vous choisissiez cinq éco-gestes de cette section sur la salle de bains et les toilettes ? En fonction de votre personnalité, certains actes vous semblent insurmontables (vos habitudes vous paraissent trop ancrées...), d'autres en revanche vous vont déjà comme un gant !
Vous verrez, lorsque vous aurez pris une décision (et pas seulement une « bonne résolution »), chaque fois que vous la mettrez en pratique, vous vous sentirez lié à la Terre par un fil invisible...

Notez ici les cinq éco-gestes retenus, en signe de votre engagement. Ce peut être l'occasion d'avoir une conversation familiale où chacun choisit les gestes qu'il va introduire dans son quotidien. Une autre façon d'aller, ensemble, vers l'avenir...

P.-S. Si vous vous sentez motivés par plus de cinq éco-gestes, n'hésitez pas !

Je m'engage à :

VOUS : ______________________

1. ______________________

2. ______________________

3. ______________________

4. ______________________

5. ______________________

VOTRE CONJOINT :

1.

2.

3.

4.

5.

LES ENFANTS :

1.

2.

3.

4.

5.

1.

2.

3.

4.

5.

Garage et voiture

L'entretien de la voiture

···> Aller dans les stations de lavage

Pour nettoyer votre voiture, attendez la pluie ou modérez la fréquence de vos lavages : chaque fois, plus de 200 litres d'eau sont gaspillés. Laver sa voiture devant la maison, c'est envoyer directement dans les égouts ou dans la nature les hydrocarbures, les graisses et autres solvants. Les centres de lavage spécialisés sont équipés de bacs de décantation qui traitent ces éléments polluants.

···> Entretenir le bon fonctionnement du véhicule

Un bon réglage de votre voiture permet de réduire la pollution et la consommation de carburant. Un véhicule mal entretenu et mal réglé consomme 10 % de carburant en plus et pollue 20 % de plus.

• Surveillez la pression des pneus : 70 % des automobilistes roulent avec des pneus mal gonflés, ce qui entraîne une usure plus rapide et une surconsommation de carburant. Dès 0,3 bar de pression en moins, votre moteur consomme 1 % en plus. Il existe des pneus « basse consommation » qui réduisent celle-ci jusqu'à 5 %.

• Pensez à la révision : un véhicule doit être réglé et révisé régulièrement (carburation, allumage, filtre à air, niveaux des liquides, système antipollution...) et passez le contrôle technique tous les deux ans (à dater du quatrième anniversaire de sa première mise en circulation), tous les ans pour un véhicule utilitaire.

• Contrôlez le filtre à air : s'il est encrassé, il peut entraîner une consommation supplémentaire de 3 %.

• **Videz régulièrement le coffre de votre voiture :** après l'hiver, vous pouvez enlever tous les équipements d'hiver inutiles accumulés dans votre coffre. Ils augmentent le poids de votre véhicule et donc sa consommation : 50 kg de poids superflu représentent 0,5 litre supplémentaire pour 100 km.

Rendez-vous à la déchetterie

Les huiles de vidange doivent être portées à une déchetterie, où un conteneur de récupération les attend. Certains garagistes ou commerces de distribution automobile les reprennent aussi.

Un litre d'huile usagée jeté dans la nature pollue une surface d'eau de plus de 10 000 m^3, soit l'équivalent de deux terrains de football.

De même, déposez les produits toxiques dans un lieu agréé. Les produits tels que solvants, essence, détergents, peintures, décapants, piles... sont dangereux pour l'environnement : en aucun cas ils ne doivent être jetés dans un lavabo, une cuvette de W-C, une poubelle ou des égouts. Ils doivent impérativement être déposés dans une déchetterie.

La pollution au plomb

Ne jetez pas les batteries de voiture, car les acides qu'elles contiennent provoquent des pollutions au plomb durables ; elles émettent chaque année 120 000 tonnes de plomb et 21 000 tonnes d'acide sulfurique. Rapportez-les à votre garagiste, à la station-service la plus proche (ces établissements sont habilités à les récupérer) ou à la déchetterie ! C'est même devenu obligatoire depuis une loi du 1er juillet 1998.

Les miracles du bicarbonate de sodium au garage

• Pour faire disparaître une tache d'huile sur du béton : mouillez la tache avec de l'eau, saupoudrez généreusement de bicarbonate et frottez avec une brosse à poils durs. Rincez et recommencez jusqu'à ce que la tache disparaisse complètement.

• Pour nettoyer les bornes d'une batterie auto : faites une pâte composée de trois quarts de bicarbonate et d'un quart d'eau et appliquez-la sur les bornes de la batterie. Ensuite, frottez-les à l'aide d'une brosse à poils durs. Après avoir rincé et séché les bornes, il est recommandé de les enduire de vaseline. Un tel entretien prolonge la vie de la batterie et garantit sa pleine efficacité.

• Certains types d'arbres laissent tomber des gouttelettes de sève sur les voitures stationnées à proximité. Pour en débarrasser votre auto, mouillez une éponge, imbibez-la légèrement de bicarbonate et frottez.

• Pour empêcher les rayures sur le pare-brise : frottez vos essuie-glaces avec une éponge humide enduite de bicarbonate.

• Pour nettoyer les phares d'automobile : s'ils sont maculés d'insectes et de saleté, une éponge humide enduite de bicarbonate fera merveille sans les égratigner.

De la cave au grenier

Une chaudière plus économe

Il y a en France 12 millions de chaudières individuelles ; 3,5 millions de ces chaudières ont 20 ans ou plus. Pensez à remplacer la vôtre. Des progrès considérables ont été faits :

- les brûleurs et les matériaux sont plus performants ;
- l'isolation des chaudières est plus poussée ;
- elles sont plus compactes, plus silencieuses,

et leur esthétique a beaucoup évolué.

Vous économiserez au moins 15 % de votre consommation, et jusqu'à 30 ou 40 % en optant pour un modèle « basse température » ou « à condensation ». De plus, les nouvelles installations produisent moins de gaz à effet de serre : en France, le remplacement de toutes les chaudières de plus de 20 ans éviterait le rejet d'au moins 7 millions de tonnes de CO_2.

Depuis le 1er janvier 2005, un crédit d'impôt (ou la somme correspondante si vous êtes exonéré) est accordé sur l'achat d'une nouvelle chaudière : 15 % pour un modèle « basse température », 25 % pour un modèle « à condensation ».

La seconde vie des objets

Combien de fois avons-nous entendu, alors que nous venions faire réparer un objet acheté il y a trois ans : « Ce n'est pas la peine de le réparer, cela va vous coûter plus cher que d'en acheter un neuf ! » Sans compter qu'il y a toujours un nouveau produit « amélioré » proposé sur le marché. On peut entretenir et réparer les objets. Soyons imaginatifs et donnons une deuxième vie aux articles devenus inutilisables pour leur fin première... Avant de jeter un objet, interrogez-vous : Est-il réparable ? Est-il réutilisable ? Peut-il être utile à quelqu'un d'autre ?

La « récup »

« *Rien ne se perd, rien ne se crée, tout se transforme.* »

Lavoisier

Depuis que le célèbre urinoir de Marcel Duchamp est entré dans l'histoire de l'art, les artistes sont de plus en plus nombreux à pratiquer le détournement d'objet ou à récupérer des rebuts pour en faire des œuvres. Cela ne vous donne pas des idées ?

Réutiliser...

On peut réutiliser les papiers imprimés d'un côté comme brouillons, les sacs plastique comme sacs-poubelle, les emballages comme rangements (bocaux de verre pour les confitures, les restes ou des sucreries, boîtes à chaussures pour rangements...), les vêtements usagés comme tenue de bricolage, de jardinage ou comme chiffons.

On peut louer ou emprunter au lieu d'acheter ce dont on fait peu usage : par exemple, certains équipements de bricolage (décolleuse, nettoyeur haute pression, shampouineuse à moquette), ou les DVD...

Donner

« Le geste de donner ce n'est pas enrichir l'autre, c'est dire : je te reconnais, est-ce que tu me reconnais ? »

Marcel Hénaff

Réfléchissez avant de jeter : prolonger la vie d'un objet évite les déchets et peut faire des heureux... Les vide-greniers, les brocantes, les bourses aux jouets ou encore les dépôts-ventes sont aussi de bons moyens de recycler ce dont on n'a plus l'usage.
Les associations type Secours populaire ou Secours catholique ne peuvent pas gérer les vêtements importables. Elles ne sont pas équipées pour recycler le rebut : ne leur donnez que ce que vous accepteriez de porter !

De nombreux vieux objets, équipements, ustensiles cassés, usagés ou inutilisés finissent à la poubelle, malgré l'intérêt qu'ils pourraient présenter pour quelqu'un, faute de savoir à qui les donner. Vous pouvez vous rendre sur le site www.recupe.net/, qui fait office de lieu de récupération, de brocante gratuite où chacun peut proposer et donner, plutôt que jeter ce dont il veut se débarrasser. Une dernière chance avant la poubelle.

Réutilisez ou faites don :
• des jouets usagés à des garderies ;
• des vêtements inutilisés mais encore en bon état à un service d'entraide ;
• des livres et revues (même vieux) aux bibliothèques, hôpitaux, écoles ou organismes caritatifs ;
• des déchets domestiques encombrants, électroménagers, meubles, textiles ou accessoires à des organismes caritatifs, tels que Emmaüs ou le Secours populaire français [42] (entre autres !). Acheter chez Emmaüs, c'est soutenir l'ensemble du programme de l'association de l'abbé Pierre : insertion, lutte contre l'exclusion, hébergement, accompagnement de personnes en difficulté. En donnant au Secours populaire, vous aiderez cette association laïque datant de 1945 à lutter contre les problèmes d'exclusion de l'enfance et à aider des familles défavorisées. Chacun son tour, non ?

À qui faire don de livres ?

Secours catholique
106, rue du Bac, 75007 Paris. Tél. : 01 45 49 73 00
Site Internet : www.secours-catholique.asso.fr
Recueille essentiellement des romans, livres d'histoire et biographies.

Les orphelins apprentis d'Auteuil
40, rue La Fontaine, 75016 Paris. Tél. : 01 44 14 75 75
Site Internet : www.oaa.asso.fr
Recueillent des ouvrages dans un très grand nombre de domaines.

Secours populaire
Ce centre fournit la liste des permanences régionales ou départementales susceptibles de recueillir des livres.

ADIFLOR
5, rue de la Boule-Rouge, 75009 Paris. Tél. : 01 43 13 22 81
Site Internet : www.starnet.fr/afal • E-mail : adiflor@starnet.fr

42. Que ce soit pour demander ou proposer de l'aide, il existe forcément une antenne du Secours populaire près de chez vous. Secours populaire français, 9-11, rue Froissart, 75140 Paris Cedex 03. Tél. : 01 44 78 21 00. Fax : 01 42 74 71 01. Site : www.secourspopulaire.fr/.

L'ADIFLOR recueille des livres dans tous les domaines, mais à certaines conditions : ouvrages en langue française, en très bon état. Les manuels scolaires de moins de trois ans environ sont également les bienvenus. Un ramassage est effectué tous les mois par l'association, mais uniquement en région parisienne.

Bricoler sain

Règles d'hygiène

- Ne bricolez jamais dans une pièce fermée, aérez tout au long de votre travail.
- Buvez beaucoup d'eau pour éviter le dessèchement des voies respiratoires (du fait des poussières et des solvants).

Bricoler au naturel avec un enfant [43]

- « Papi, si tu décides de faire du collage en carton et papier avec ton petit-fils, prends de la colle dite "blanche" plutôt que la colle universelle qu'on utilise à toutes les sauces, elle est bien plus saine. Si elle a durci, rajoute un peu de vinaigre, elle sera à nouveau opérationnelle. Et si tu n'en as plus, fabriques-en avec de la farine et de l'eau, tu verras que ça marche – tu peux aussi faire de la pâte, mais laisse ça pour Mamie... »
- « Papi, si tu décides de peindre le superbe avion en carton que tu viens de réaliser avec ton petit-fils, utilise des peintures naturelles ou écologiques, et pas celles contenant des métaux lourds comme le cadmium, pourtant interdit en Suède. »
- « Papi, tu veux récupérer un vieux pinceau tout dur ? Il te suffit de le tremper dans du vinaigre... eh oui, encore le vinaigre, et de le faire chauffer pendant une bonne demi-heure dans une vieille casserole. »
- « Papi, nettoie tes mains et celles des petits-enfants avec de l'huile de table ou de l'huile d'amande douce, et pas avec du white-spirit, très efficace, mais qui pénètre l'épiderme et passe dans le sang. »
- « Pas question non plus de jeter les restes de peinture dans l'évier, garde-les pour la prochaine fois ou alors apporte-les à la déchetterie. »
- « Pour finir, une astuce pour le bac qui sert à verser la peinture : mets un petit sachet plastique à l'intérieur, ça évitera d'avoir à le nettoyer et le sachet ira à la poubelle, c'est moins grave que la peinture dans l'égout... »

43. À retrouver sur www.france5.fr/maternelles/, émission du 29-11-2004.

Vos éco-gestes d'or

À vous de jouer ! Et si vous changiez votre quotidien ? Et si vous choisissiez cinq éco-gestes de ces chapitres sur le garage, la cave et le grenier ? En fonction de votre personnalité, certains actes vous semblent insurmontables (vos habitudes vous paraissent trop ancrées...), d'autres en revanche vous vont déjà comme un gant !
Vous verrez, lorsque vous aurez pris une décision (et pas seulement une « bonne résolution »), chaque fois que vous la mettrez en pratique, vous vous sentirez lié à la Terre par un fil invisible...

Notez ici les cinq éco-gestes retenus, en signe de votre engagement. Ce peut être l'occasion d'avoir une conversation familiale où chacun choisit les gestes qu'il va introduire dans son quotidien. Une autre façon d'aller, ensemble, vers l'avenir...

P.-S. Si vous vous sentez motivés par plus de cinq éco-gestes, n'hésitez pas !

Je m'engage à :

VOUS : ____________________

1. ____________________

2. ____________________

3. ____________________

4. ____________________

5. ____________________

VOTRE CONJOINT :

1.

2.

3.

4.

5.

LES ENFANTS :

1.

2.

3.

4.

5.

1.

2.

3.

4.

5.

Lors des achats : devenir un consom'acteur [44]

« *Il ne s'agit pas de préparer un avenir meilleur, mais de vivre autrement le présent.* »
François Partant

« *C'est en jouant de la cithare que l'on devient cithariste et c'est en s'exerçant à la vertu que l'on devient vertueux.* »
Aristote

« *Ne rien convoiter, c'est épargner ; ne rien acheter, c'est s'enrichir.* » **Cicéron**

« Consommer intelligent », titrait *Le Nouvel Observateur* en juillet 2007. En effet, et si l'on réfléchissait à sa façon de se nourrir et de consommer ? Agir pour l'environnement commence devant un étal ou dans les rayons d'un supermarché. Devenir un *consom'acteur,* c'est choisir des produits avec des labels de qualité, privilégier les produits recyclables, refuser les sacs plastique, éviter les produits jetables, investir sur le long terme... sans pour autant renoncer à la qualité et à un style de vie. L'acte d'acheter donne à chacun de nous l'occasion d'accomplir des actes concrets de solidarité et de respect de l'environnement. « Le contenu de notre sac à provisions peut changer le monde ! » clame Ezzedine El Mestiri [45].
De fait, chaque fois que nous faisons nos courses, nous opérons des choix de produits, de prix, de qualité ; mais nous achetons aussi les conditions de travail de ceux qui produisent, les conditions de fabrication, d'évolution et de destruction des produits, et donc leur impact sur la planète. Quand on achète un produit, on achète aussi le monde qui va avec...

44. À lire : Jean-Pierre Rimsky-Korsakoff, *Au-delà du bio : la consom'action*, Éd. Yves Michel.
45. In *La Consommation écologique*, Éd. Jouvence.

Adopter une attitude responsable

··· Acheter durable [46]

De nombreuses initiatives permettent de garantir un revenu plus juste aux petits producteurs des pays pauvres. Elles sont réunies au sein de la « Plate-forme du commerce équitable ». Le collectif « De l'Éthique sur l'Étiquette » lutte contre la violation des droits de l'homme au travail en évaluant le comportement des entreprises. L'association Consodurable met en relation entreprises et consommateurs. Elle présente les actions engagées en matière de développement durable et d'amélioration des produits.

Pour transformer l'acte d'achat en un acte citoyen, achetons durable... Les achats durables impliquent :

• **Des achats respectueux de l'environnement.** Ils sont appelés « achats verts » : une démarche d'achats plus respectueux de l'environnement consiste à sélectionner des approvisionnements aux impacts les plus faibles sur l'environnement. On retrouve ainsi les produits portant notamment l'éco-label européen ou le label « NF Environnement » ainsi que les produits recyclés, encore économes en énergie, ou issus d'une agriculture bio ou respectueuse de l'environnement.

• **Des achats solidaires.** Ce sont les achats de produits fabriqués par des associations de solidarité (jeunes en réinsertion, personnes à mobilité réduite...) ou dont une partie du prix de vente est reversée à des associations d'environnement ou de solidarité.

• **Une consommation éthique.** Elle fait référence à la responsabilité sociale des acheteurs concernant le respect des conventions de l'OIT (Organisation internationale du travail) : droits de l'homme, non-exploitation des enfants...

• **Un commerce équitable.** C'est une forme de commerce alternatif qui garantit aux producteurs et à leurs familles un revenu décent et qui les engage à un mode de production plus respectueux de l'homme et de son environnement. Les standards sont définis par type de produit par le FLO-International (Fairtrade Labelling Organisations

46. Source : www.consodurable.org.

International). C'est ainsi que le très connu label international Max Havelaar est délivré par une association à but non lucratif. Il garantit des produits (café, riz, sucre, cacao, etc.) répondant aux standards internationaux du commerce équitable [47].

Traquer les labels sur les étiquettes

Pour trouver le bon produit, le premier réflexe est de lire les étiquettes. Cherchez les déclarations sur l'environnement et privilégiez, quand c'est possible, celles qui vous garantissent des informations écologiques fiables (éco-labels, étiquettes-énergie...). Préférez les produits portant un éco-label officiel. Ces derniers éclairent le consommateur sur un aspect environnemental spécifique d'une étape du cycle de vie : l'emballage est recyclable, le produit est biodégradable, sa consommation d'énergie est faible... Ils sont révisés tous les trois ans pour tenir compte des progrès technologiques.

Les consommateurs sont souvent désorientés devant l'avalanche de sigles censés indiquer un caractère écologique des produits et/ou de leurs emballages. **Deux éco-labels officiels,** délivrés par l'Afnor – l'éco-label français « NF Environnement » et l'éco-label européen (reconnaissable à sa fleur) –, vous donnent l'assurance que les produits qui les portent sont respectueux de l'environnement. Ils garantissent en effet la qualité d'usage d'un produit et ses impacts moindres sur l'environnement sur tout le cycle de vie du produit [48]. Ces produits présentent en outre une qualité équivalente à d'autres produits analogues présents sur le marché.

Des produits de grande consommation sont déjà éco-labellisés, et chaque année, de nouvelles catégories viennent s'y ajouter. En faisant savoir aux commerçants que vous êtes demandeur, vous verrez l'offre augmenter progressivement.

Comment choisir ?

- **Pour le non-alimentaire :**

éco-label européen, éco-label français (NF Environnement).

- **Pour le bois :**

label international FSC (Forest Stewardship Council),
label européen (Program for the Endorsement of Forest Certification) [49].

certification
label
eco

47. Consultez les sites www.maxhavelaarfrance.org et www.commercequitable.org pour en savoir plus.
48. Vous trouverez la liste des produits éco-labellisés sur www.marque-nf.com.
49. Chaque année, 14,2 millions d'hectares de forêts tropicales disparaissent. Pendant ce temps, chez nous, c'est la mode du tek ! Il est donc urgent de ne pas acheter n'importe quel bois. Le label FSC certifie que votre transat ou votre table de jardin proviennent d'une forêt gérée équitablement. Assurez-vous-en.

• Pour les produits alimentaires issus de l'agriculture biologique [50] :
label français, label européen.
• Pour les produits du commerce équitable :
Max Havelaar, Artisans du monde.

Le logo du recyclage : l'anneau de Möbius

Selon la norme ISO 14021, l'anneau de Möbius est le symbole du recyclage. Le « point vert » signale que le producteur contribue financièrement à un dispositif (Éco-Emballages ou Adelphe) aidant les communes à développer des collectes sélectives des déchets d'emballage pour les valoriser. Il n'annonce donc pas que le produit qui le porte sera recyclé. On le trouve sur la quasi-totalité des emballages.

···> La « cabas attitude » : définitivement non aux sacs plastique !

Apparu dans les années 1970, le sac en plastique fait désormais partie de notre quotidien. Il est en quelque sorte devenu le symbole de nos habitudes de consommation. En 2005, selon l'association Les Amis du Vent, 17 milliards de sacs plastique ont encore été distribués en sortie de caisses des supermarchés (et nous sommes en progrès, paraît-il !). Certes, le sac plastique est utile, mais est-il indispensable ?
La durée d'utilisation d'un sac plastique est très courte puisqu'elle se résume souvent à moins d'une heure : le sac plastique sert à transporter les achats du magasin vers le domicile et finit ensuite à la poubelle. En France, 500 sacs de caisse sont distribués par seconde pour **vingt minutes d'utilisation moyenne** (soit 85 000 tonnes de déchets plastique à traiter, sans compter la pollution visuelle !). Or, un sac plastique met **400 ans à se dégrader** dans la nature. Des dauphins, des phoques et des tortues (comme la tortue luth) meurent étouffés en avalant des sacs plastique flottant dans l'eau, qu'ils confondent avec des proies.
Il n'y a plus la moindre excuse à les accepter, car des alternatives, nombreuses, existent :

50. La marque AB est le label le plus connu. L'agriculture biologique constitue un mode de production soucieux du respect des équilibres naturels (absence de pesticides, d'engrais chimiques, d'OGM, limitation des intrants…), dont les exigences sont définies dans la réglementation européenne sur l'agriculture biologique.
La mention d'un organisme certificateur agréé par les pouvoirs publics garantit qu'un produit « issu de l'agriculture biologique » est composé d'au moins 95 % d'ingrédients issus de ce mode de production. Il existe un logo européen pour les produits biologiques. En France, la marque AB est plus exigeante que la seule réglementation européenne. Il existe aussi les labels Nature et Progrès, et Demeter.

• Les sacs en papier ne sont pas une bonne idée en raison de leur écobilan négatif : même s'ils sont recyclables et proviennent de papier recyclé, leur fabrication est très consommatrice d'eau et d'énergie. Selon Hugo Verlomme, auteur du livre *La Guerre du pochon (éditions Yago)*, une enquête réalisée par un supermarché révèle qu'un « sac de papier recyclé consomme 40 fois plus d'énergie que son homologue en plastique ». Abandonnés dans la nature, les sacs en papier mettent plusieurs mois à se dégrader. Se donner bonne conscience ne suffit pas, les choses sont plus compliquées qu'elles en ont l'air...

• Les cabas en tissu naturel ou en synthétique sont solides. Désormais très *in*, ils peuvent être aussi choisis pour leur esthétique : la « cabas attitude » est parmi nous...

• Les sacs à dos permettent de transporter beaucoup de choses en respectant mieux notre colonne vertébrale !

• Les sacs plastique réutilisables doivent être choisis assez solides pour servir un grand nombre de fois (au moins quatre fois pour que leur bilan environnemental devienne intéressant). On trouve deux types de sacs plastique réutilisables :

– des sacs en polypropylène tissé. Ils sont difficilement recyclables, mais sont très durables, solides et peuvent servir plusieurs années ;

– des sacs en polyéthylène souples, plus facilement recyclables.

• Les Caddie (on en trouve aussi de très « tendance »...) évitent de porter des sacs lourds. Ils sont bien adaptés quand on fait les courses dans son quartier.

• Les caissettes pliantes en plastique sont utiles pour ranger les aliments dans le coffre de la voiture.

• Les paniers en osier (à rapporter de vos vacances d'été...).

• De plus en plus de magasins mettent des cartons d'emballage usagés à la disposition de leurs clients.

On trouve désormais en vente courante des sacs 100 % biodégradables à prix raisonnable (autour de 1 euro pour un rouleau de 15 sachets de 10 litres).

Au 1er janvier 2010, la distribution gratuite de sacs de caisse non biodégradables sera interdite par la loi. D'ores et déjà, refusez les nombreux sacs inutiles (pharmacie, boulangerie...).

Après la Corse, la métropole ?

En Irlande, les sacs plastique sont taxés. En Corse, les supermarchés ont remplacé avec succès 80 % des sacs en plastique par des cabas consignés à vie ou des sacs biodégradables. Après un « référendum » en mai 2003 auprès des clients des huit hypermarchés de l'île, la quasi-totalité des enseignes de grande distribution a remplacé les sacs de caisse jetables par de solides cabas tissés en plastique polypropylène, payés 1 euro et échangeables à vie contre un neuf, ou par des sacs en Mater-Bi, à base d'amidon de maïs sans OGM, payés 8 centimes, biodégradables et, utilisés en compost dans un jardin, rapidement transformables en agent fertilisant naturel.

Des gestes gagnants [51]

« Le monde est dangereux à vivre ! Non pas tant à cause de ceux qui font le mal, mais à cause de ceux qui regardent et laissent faire. »
Albert Einstein

Distinguer petites courses et grandes courses

Les petites courses (ou les courses d'appoint : pour acheter un carnet de timbres, la baguette fraîche du matin, le saumon pour le dîner...) sont de bonnes occasions de laisser sa voiture au garage et de marcher un peu. C'est aussi l'opportunité de redécouvrir son quartier et de discuter avec les gens. Si c'est un peu loin, le vélo ou les transports en commun (bus, métro, tramway...) seront les bienvenus.
Pour les « grandes courses », on pourra utiliser un Caddie, un sac à dos, des sacs réutilisables présentés par les distributeurs, des cagettes pliables... La plupart des enseignes proposent aujourd'hui la livraison à domicile (souvent gratuite à partir d'un certain montant d'achats).

Penser à vérifier régulièrement les dates de consommation

Les produits frais se conservent peu de temps. Aussi, quels que soient les aliments achetés, la date limite de consommation est une indication précieuse pour éviter un déchet et ne pas gaspiller de l'énergie, de la nourriture et l'argent d'un produit neuf.

51. Ces conseils sont tirés de la brochure éditée dans le cadre du projet Interreg auquel participe la CLCV (association « Consommation, logement et cadre de vie ») du Nord : *Acheter malin c'est jeter moins.*
CLCV, 17, rue Monsieur, 75007 Paris. Tél. : 01 56 54 32 10. La CLCV est l'une des plus importantes associations nationales de consommateurs et d'usagers.

Acheter au fur et à mesure

En moyenne, **26 % de notre nourriture finit à la poubelle !** N'achetez pas en quantité importante si vous n'êtes pas vraiment sûr de pouvoir finir. Achetez juste et malin en petite quantité : environ 8 % de la poubelle est représenté par des produits alimentaires non déballés ou non consommés ! Il ne sert à rien de faire des réserves ! Sachez que les fruits et les légumes, même dans le réfrigérateur, perdent vite leurs vitamines et se flétrissent. De même, le lait stérilisé ne se conserve pas plus d'une semaine et la viande pas plus de trois jours.

Réduire ses emballages

Un tiers des déchets ménagers est constitué d'emballages ! Achetez moins d'emballages : vos poubelles y gagneront et vous aussi ! Les produits moins emballés sont souvent plus économiques à l'achat.

Une règle d'or : privilégiez les emballages biodégradables (papier, carton) ou recyclables (verre, métal, briques de lait...) par rapport aux emballages plastique. (Voir le paragraphe sur le plastique dans *Que trouve-t-on dans nos poubelles ?*, p. 125).

Une règle d'or : privilégiez les emballages biodégradables ou recyclables par rapport aux emballages plastique.

Privilégier le bon conditionnement

Aujourd'hui, près d'un ménage sur trois se compose d'une seule personne. Aussi, le marketing étant passé par là, les achats de produits en emballage individuel ou en petites portions se développent... À quantité de produit équivalente, les grands conditionnements engendrent pourtant moins de déchets d'emballage et sont proportionnellement moins chers que les petites portions. Pensez aussi à acheter la juste quantité : un grand conditionnement c'est bien... si on est sûr de tout consommer à temps.

Acheter en vrac ou à la découpe

Fromages, charcuteries, viandes, poissons, légumes et fruits sont parfois vendus préemballés dans des barquettes enveloppées d'un film plastique. Acheter en vrac et à la découpe vous permet de choisir votre produit, d'en prendre la quantité souhaitée tout en limitant les déchets d'emballage.

Pour les fruits et légumes, lorsque cela est possible, collez directement l'étiquette de prix sur le produit. Les bananes, citrons, melons, pastèques, concombres, ananas, choux-fleurs ... n'ont pas besoin d'emballage...

Rappel :

- privilégiez les produits concentrés (respectez les dosages appropriés) ;
- choisissez des éco-recharges ;
- achetez les produits sous forme solide chaque fois que cela est possible (les liquides, c'est plus d'emballage et beaucoup d'eau transportée sur les routes).

Quand on le sait, on ne peut plus l'oublier !

Évitez les sachets cuisson (par exemple de riz). En plus de générer des emballages inutiles, ils reviennent plus chers. Achetez en vrac et, à l'aide d'une tasse ou d'un verre, dosez la quantité souhaitée.

Divers

Préparer la liste des courses

Cela offre plusieurs avantages : vous n'oubliez rien, vous gagnez du temps dans le magasin et vous évitez le gaspillage (double achat).

Se méfier des bons de réduction !

Dans *Moins, c'est mieux,* Michael Simperl [52] fait l'apologie du choix conscient et délibéré de désirer moins et de posséder moins. Courageux dans une société du « moi, plus ! ». Parmi mille conseils, il suggère de jeter les bons de réduction : « C'est une autre façon de vous faire acheter des choses dont vous n'avez pas besoin. De plus, combien d'enseignes promettent un "fabuleux cadeau" une fois atteint un certain nombre de points !... Du bricolage en passant par la station-service, vous finissez à la maison avec un poivrier ou une boîte à épices horrible dont vous n'avez pas besoin... ou encore, après deux ans, avec un VTT "made in China" qui casse au bout d'une semaine. » Laissez tomber cartes de réduction et de fidélité, vous calmerez votre fièvre acheteuse.

Rayer le shopping de sa liste de loisirs [53] !

Il est de moins en moins rare que l'on aille faire du shopping, non parce qu'on a

52. Éditions Leduc S.
53. *Moins, c'est mieux, op. cit.* Lire aussi : *Je dépense, donc je suis,* de Loly Clerc, J'ai lu.

besoin de quelque chose mais pour occuper son temps ! Hélas, combien ce plaisir fait-il entrer dans notre vie d'objets inutiles ? « Nous ne rentrons jamais bredouilles de ces raids dans les magasins. Il y aura toujours une bonne affaire pour nous faire de l'œil dans le rayon... » Il en va de même lorsque l'on se promène entre les innombrables boutiques Internet. Un clic et la série de DVD est dans votre panier virtuel... Cherchez d'autres idées pour occuper votre temps libre !
Une astuce pour les « fashion victims » ? Faites du lèche-vitrine le jour où les boutiques sont fermées. Un excellent repérage qui évite la compulsion ! Nos dressings sont déjà bien assez remplis !

Adopter les fruits et légumes locaux et de saison [54]

Achetez des produits locaux et de saison : ils sont souvent moins chers, de meilleure qualité et, surtout, cela évite les transports intercontinentaux ! Les aliments parcourent en effet souvent d'énormes distances pour rejoindre nos réfrigérateurs, ce qui génère pollution et gaz à effet de serre. Un fruit importé hors saison par avion consomme pour son transport 10 à 20 fois plus de pétrole que le même fruit produit localement et acheté en saison : 1 kg de fraises d'hiver peut nécessiter près de 5 litres de gasoil pour arriver dans votre assiette à dessert (on parle en effet de **5 litres de kérosène par kilo de fruit !**). De plus, les produits frais locaux contiennent généralement moins de conservateurs chimiques que les produits importés parcourant de longues distances.
Préférez donc par exemple, en hiver, des endives plutôt que des tomates – cultivées sous serre chauffée – et des pommes plutôt que des fraises d'Israël ou de Nouvelle-Zélande ou des cerises d'Afrique du Sud. Mais nous avons un peu oublié – voire jamais vraiment appris – quelles sont les saisons des divers fruits et légumes. Si on se rafraîchissait la mémoire ?

54. Les conseils sur les quatre saisons viennent du site www.notre-planete.info.

LES FRUITS ET LÉGUMES FRAIS PAR SAISON

PRINTEMPS	Artichaut, asperge, choux, petits pois, concombre, radis, salade (laitue, scarole), fèves, chou-fleur, champignons, épinards, citron, orange, rhubarbe...
ÉTÉ	Ail, aubergine, oignon, pomme de terre, haricot vert, melon, pastèque, poivron, salade, tomate, carotte, brocoli, courgette, abricot, cerise, fraise, framboise, mûre, myrtille, pêche...
AUTOMNE	Brocoli, châtaigne, coing, poire, raisin, pomme, carotte, céleri, échalote, champignons, potiron, navet, épinards...
HIVER	Avocat, céleri, endive, poireau, topinambour, salade (cornée d'Anjou, mâche), choux de Bruxelles, radis, champignons, épinards, poireau, clémentine, kiwi, orange, poire, pomme...

Par ailleurs, restez curieux lors de vos achats. Prenez le temps de (re)découvrir des variétés de fruits et légumes oubliées et leurs qualités gustatives. Par exemple, des fressinettes (petites bananes) ou des chayottes (variété de cucurbitacées). Pour les pommes, débusquez la roubinette, la reinette du Mans, la clocharde, la patte de loup ou la transparente de Croncels... et pour les poires, (re)découvrez les variétés alexandrine, comice, conférence ou encore passe-crassane...

Méthodes de conservation des fruits et légumes

• La conserve préserve bien les minéraux tels que potassium et magnésium, mais oblige à ajouter des quantités plus ou moins grandes de sel.
• La congélation préserve mieux les vitamines.
• La cuisson a peu d'effet sur la valeur nutritive des fruits et des légumes, hormis sur les vitamines B et C, qui sont sensibles à la chaleur.
• La température de conservation des fruits et des légumes doit être fraîche car certaines vitamines (C et E en particulier) sont sujettes à l'oxydation.

Les paniers de saison

Et si vous entriez dans une AMAP[55] ? Quesaco ? C'est une association pour le maintien de l'agriculture paysanne. C'est-à-dire ? Un groupe de consommateurs qui crée un partenariat avec un agriculteur de la région. Ils s'entendent sur les légumes à

55. Pour joindre des AMAP : www.alliancepec.free.fr, ww.reseaudecocagne.asso.fr, www.lecampanier.com.

cultiver et sur le prix. Les premiers paient à l'avance leur part de récolte au second qui leur livre, chaque semaine, en un lieu donné, un panier de légumes. Il existe d'autres formules avec des maraîchers pour se régaler avec des paniers de saison. Les Parisiens en raffolent.

Consultez le site d'Aprifel (ww.aprifel.com/), l'association des fruits et légumes frais, qui vous renseignera sur l'histoire et les bienfaits des aliments.

Quid du sapin de Noël ?

Contrairement à une idée reçue, les sapins de Noël coupés n'abîment pas la forêt car ils sont cultivés spécifiquement pour cette période de fêtes. Sur le nombre de sapins vendus dans l'hexagone, 80 % poussent en France, dans des zones de montagne peu propices à l'agriculture ; ils offrent un revenu appréciable à toute une filière économique, notamment dans le Morvan, première région de production.
Faut-il lui préférer un sapin artificiel ? Que nenni ! En effet, le sapin de plastique dure plus longtemps (trois ans en moyenne), mais il est issu du pétrole, matière première non renouvelable. En outre, ces sapins sont pour la plupart produits en Asie, d'où des coûts écologiques et sociaux...

« *Les plus riches sont ceux qui peuvent se passer du plus grand nombre de choses.* »
Rabindranath Tagore

Savoir choisir ses vêtements

Après l'assiette bio, les carburants et cosmétiques verts, le tout-biologique investit désormais la mode. De nouvelles matières naturelles apparaissent et complètent le traditionnel coton bio : du chanvre, des algues, du bois et même de l'ortie, utilisée depuis des siècles ! Il paraît à ce propos, et c'est un scoop, que toute l'armée de Napoléon était habillée en fil d'ortie... La toile de bambou devrait aussi pénétrer dans nos penderies. Elle présenterait en particulier de nombreuses qualités : tissu respirant, antibactérien naturel, propriétés anti-odeurs et anti-UV... Il paraîtrait même que le bruit particulier de son froissement apaise celui qui le porte. Enfin, les plus verts que vert tentent même les chaussettes en maïs fermenté et des tee-shirts élaborés à partir de sucre de betterave !

Pour quelles matières opter[56] *?*

En attendant l'arrivée des textiles de demain, nous avons d'ores et déjà l'embarras du choix pour nous vêtir. Si, en « bons écologistes », nous excluons les fibres synthétiques, le choix se restreint quelque peu, mais il nous reste encore le coton bio, le lin, la laine, la soie et, depuis peu, le chanvre. En règle générale, choisissez des textiles (ou des chaussures) garantis par l'éco-label européen, issus de l'agriculture biologique ou du commerce équitable.

Fibres végétales

• Le coton : malgré son image naturelle, **il n'y a pas pire en termes d'écologie** pour la planète ! La culture du coton consomme 24 % des insecticides utilisés dans le monde alors qu'elle représente moins de 3 % des terres cultivées. Un ratio calamiteux... La production d'un kilo de coton nécessite de 7 000 à 29 000 litres d'eau (à titre de comparaison, un kilo de blé requiert 900 litres d'eau et un kilo de pommes de terre, 500 litres) !

Préférez le coton biologique, plus souple et plus doux, qui intègre en outre une démarche de commerce équitable. Mais sachez que si cette matière absorbe l'humidité du corps, elle protège mal du froid.

• Le lin et le chanvre : légères, particulièrement agréables en été, ces matières absorbent l'humidité du corps (très pratique en été) et sont anallergiques. Solides, presque inusables, elles possèdent également des vertus antistress, car elles diminuent température et tension musculaire.

Fibres animales

• La soie : fabriquée naturellement par les vers à soie, elle sera adoptée tant l'hiver (chaude et isolante) que l'été (fine et légère). Aussi solide qu'un fil d'acier de même diamètre, elle est également résistante dans le temps.

• La laine : en plus d'être un bon isolant thermique, elle régule l'humidité et laisse la peau respirer. Préférez néanmoins une pure laine vierge non traitée. Elle convient aussi bien pour vos vêtements que pour vos couettes ou vos oreillers.

56. Pour aller plus loin : Claude Aubert et Myriam Goldminc, *Vêtement, la fibre écologique*, Terre Vivante, 2001.

Vous avez dit « laine bio[57] » ?

Pour la laine, la situation est la même, en termes de garanties, que pour le coton. Il existe de la laine bio : c'est celle qui est produite par des éleveurs de mouton ayant une certification bio, mais elle ne peut pas bénéficier du logo AB, qui n'a pas encore été étendu aux textiles. En Allemagne, en revanche, Bioland, la principale organisation allemande d'agriculteurs biologiques, certifie déjà de la laine bio. Affaire à suivre dans l'Hexagone...

Quid des cuirs, peaux et fourrures ?

Les produits issus d'animaux sauvages, menacés par le commerce international, sont réglementés par une convention internationale (la CITES) et par des lois nationales. Les fourrures d'espèces sauvages menacées sont le plus souvent interdites, et leur commerce s'avère particulièrement surveillé. N'encouragez pas le braconnage et le trafic de ces animaux : pour cela, évitez les articles qui vous semblent douteux et renseignez-vous auprès des autorités nationales compétentes.
Quant à la fausse fourrure, elle utilise plusieurs litres de pétrole par manteau, mais c'est un moindre mal !

Une mention spéciale pour les fibres « polaires »

Cette matière légère et chaude sèche rapidement, ne se repasse pas et peut se fabriquer à partir de bouteilles recyclées (entre 14 et 25 bouteilles en plastique entrent dans la composition d'un pull en polaire, par exemple). Pourquoi s'en priver plus longtemps ?

Penser à la collecte des textiles

Ne jetez pas systématiquement vos vieux vêtements et votre linge de maison ! N'oubliez pas la collecte sélective des textiles usagés : 85 % des textiles finissent au milieu des déchets ménagers. Déposez-les dans les conteneurs installés un peu partout en France, ou remettez-les aux associations caritatives qui les collectent (Emmaüs, Croix-Rouge, Secours populaire, Secours catholique...).
Après collecte, un tri permet de valoriser ces déchets dans quatre directions :
- 40 % sont réemployés comme vêtements d'occasion ;
- 30 % sont destinés à l'essuyage industriel : on fabrique des chiffons à partir de vêtements devenus importables ou de linge de maison en fin de vie (surtout en fibres naturelles) coupés aux dimensions requises ;

57. Source : www.biorespect.com/.

• 10 % sont destinés à l'effilochage : le textile, effiloché par couleur, permet de fabriquer de nouvelles fibres. L'effiloché mêlé est également utilisé pour le rembourrage de sièges ou comme isolant ;
• une petite partie est utilisée en papeterie.

Halte aux influences

« *Si la moitié de nos souhaits étaient exaucés, nos soucis seraient doublés.* »

Benjamin Franklin

⁂ Apposer un « Stop pub[58] » sur sa boîte aux lettres

Nos boîtes aux lettres sont quotidiennement remplies de prospectus, de publicités, ou de journaux gratuits. Ces courriers non sollicités correspondent en moyenne, chaque année, à 40 kg par foyer. Une quantité non négligeable qui entraîne, pour une ville de 100 000 habitants, une dépense de 250 000 euros par an pour les traiter une fois à la poubelle [59]. Ces courriers sont distribués à 80 % par les grandes surfaces, à 12 % par les commerces locaux et à 8 % par les banques, les assurances, les agences immobilières, les services de réparation...
Il est possible d'apposer sur sa boîte aux lettres un autocollant ou une étiquette « Stop pub », mentionnant le refus de recevoir ces imprimés. « Stop pub » est une initiative du ministère de l'Écologie et du Développement durable.
L'autocollant n'étant pas un dispositif obligatoire, il n'a aucune valeur juridique en tant que telle et repose sur la responsabilité de chacun. Ainsi, les deux principaux diffuseurs (Médiapost, filiale de la Poste, et Adrexo) se sont engagés à respecter les autocollants en ne distribuant plus les courriers *non adressés* dans les boîtes aux lettres « marquées ».
Aujourd'hui, plus de 5 % des Français l'ont déjà apposé sur leur boîte aux lettres. Ils s'en déclarent « satisfaits » et « très satisfaits » à plus de 70 %.
« Stop pub » ne vise que les imprimés non adressés, c'est-à-dire ceux sur lesquels ne figurent pas vos coordonnées (nom et adresse). Avec ce dispositif, vous continuerez donc à recevoir les imprimés publicitaires adressés (comme ceux des enseignes où vous avez déjà effectué des achats et où en particulier vous avez une carte de fidélité, ou encore ceux de votre banque...).

58. Source : ministère de l'Écologie et du Développement durable, 20, avenue de Ségur, 75302 Paris 07. Tél. : 01 42 19 20 21. Précisions sur : www.ecologie.gouv.fr/IMG/pdf/mes_eco_gestes_au_quotidien.pdf.
59. ADEME, novembre 2005.

Vous pouvez vous procurer l'autocollant « Stop pub » :

• dans votre mairie (plus de 1,5 million d'autocollants imprimés par des villes comme Paris, Abbeville, Saint-Malo, Bayonne, Sarzeau, Chambéry...) ;

• à l'accueil ou à la caisse centrale de votre grande surface habituelle : certaines enseignes proposent leur propre autocollant ;

• auprès d'une association de défense de l'environnement ou des consommateurs ayant créé son autocollant [60].

La liste Robinson

Vous pouvez aussi souscrire gratuitement à la liste Robinson : elle a pour objet de permettre, à toute personne qui en fait la demande, de recevoir moins de documents publicitaires adressés dans sa boîte aux lettres. Elle est gérée par l'Union française du marketing direct (UFMD). Les sociétés adhérentes de la Fédération des entreprises de vente à distance (FEVAD) s'engagent à ne plus envoyer de messages publicitaires aux personnes dont les noms et adresses leur sont communiqués trimestriellement par le Service national de l'adresse de la Poste. Vous devez faire une demande écrite adressée à :

Liste Robinson-Stop publicité, UFMD, 60, rue La Boétie, 75008 Paris.

Il existe également un service de liste e-robinson afin de « mettre en place un droit d'opposition général à la prospection sur les courriers électroniques ». Un formulaire est disponible en ligne à l'adresse www.e-robinson.com.

Quand on le sait, on ne peut plus l'oublier !

Vous avez le droit de refuser un courrier et de le faire retourner à son expéditeur sans frais. Pour cela, rayez votre adresse sur l'enveloppe, indiquez très lisiblement la mention « Courrier refusé – Retour à l'expéditeur » et, si vous le souhaitez, vous pouvez ajouter la mention « Motif du refus : publicité non sollicitée, veuillez retirer cette adresse de vos fichiers conformément à la loi « Informatique et libertés » – Merci ». Mais attention : pour pouvoir faire cela gratuitement, le courrier ne doit pas avoir été ouvert !

La publicité par téléphone et par fax

La première chose à faire pour éviter les appels publicitaires est de s'inscrire sur la liste orange de France Telecom pour que vos coordonnées ne soient pas vendues à des entreprises. Cette inscription est gratuite, il suffit d'appeler France Telecom

60. Par exemple : France Nature Environnement : www.fne.asso.fr/preventiondechets/campagne/campagne3.htm#2, ou CLCV : www.clcv.org/index.php?v=detail&a=info&id=295.

ou de s'inscrire directement depuis Internet. Vous pouvez également vous inscrire sur liste rouge (désormais gratuite) pour que votre nom et votre numéro n'apparaissent plus dans l'annuaire et ne soient donc pas vendus à des sociétés de marketing direct.

···:· Planter un arbre

À l'autre bout de la chaîne des prospectus de publicité, on coupe des arbres... L'arbre absorbe du gaz carbonique et rejette de l'oxygène pendant la journée. Au cours de sa vie, un arbre absorbe à lui seul une tonne de dioxyde de carbone. On comprend dès lors l'importance, non seulement de conserver les forêts, mais également de les maintenir en bon état, c'est-à-dire de couper régulièrement les bois morts et les arbres malades.

En plus d'assainir l'atmosphère, la forêt participe, par ses racines, au ralentissement de l'érosion des sols et freine, grâce à son feuillage, le réchauffement de la terre en apportant une ombre naturelle.

Wangari Maathai, militante écologiste kényane et prix Nobel de la paix 2004, a lancé un projet soutenu par l'ONU : planter un milliard d'arbres pour lutter contre le réchauffement climatique et la pauvreté. Aujourd'hui, plus de 800 millions de ces arbres ont déjà été financés. Pour planter le vôtre, rendez-vous sur www.unep.org/billiontreecampaign/french.

Vos éco-gestes d'or

À vous de jouer ! Et si vous changiez votre quotidien ? Et si vous choisissiez cinq éco-gestes de ce chapitre sur la consommation que vous introduirez chaque fois que vous aurez la main sur un chariot ou sur votre carte bleue ? En fonction de votre personnalité, certains actes vous semblent insurmontables (vos habitudes vous paraissent trop ancrées...) d'autres, en revanche, vous vont déjà comme un gant !

Vous verrez, lorsque vous aurez pris une décision (et pas seulement une « bonne résolution »), chaque fois que vous la mettrez en pratique, vous vous sentirez lié à la Terre par un fil invisible...

Notez ici les cinq éco-gestes retenus, en signe de votre engagement. Ce peut être l'occasion d'avoir une conversation familiale où chacun choisit les gestes qu'il va introduire dans son quotidien. Une autre façon d'aller, ensemble, vers l'avenir...

P.-S. Si vous vous sentez motivés par plus de cinq éco-gestes, n'hésitez pas !

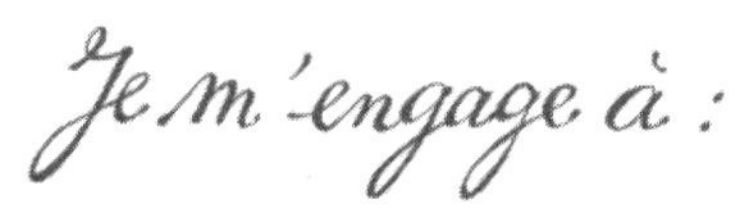

VOUS : ______________________

1. ______________________

2. ______________________

3. ______________________

4. ______________________

5. ______________________

VOTRE CONJOINT :

1.

2.

3.

4.

5.

LES ENFANTS :

1.

2.

3.

4.

5.

1.

2.

3.

4.

5.

Nos poubelles : le drame de la planète [61]

En quarante ans, les quantités d'ordures ménagères par habitant ont été multipliées par deux pour atteindre une moyenne de 356 kg par an et par personne [62] ! Ainsi, en France, chaque personne jette en moyenne un kilo d'ordures chaque jour (un peu plus à Paris [63]). Pour une famille de quatre personnes, cela équivaut à une tonne et demie chaque année et cela augmente d'environ 1 % tous les ans ! Pourtant, entre la réduction à la source, le tri, le recyclage, le compostage, la mise en déchetterie, les solutions existent pour réduire le volume de nos déchets, les valoriser et diminuer leurs nuisances. Nous n'avons pas le choix : l'humanité triera religieusement ses déchets et les recyclera ou... disparaîtra.

Le saviez-vous ?

François Ier créa le premier panier à ordures en 1531 mais c'est Eugène Poubelle, préfet de la Seine (Paris), qui imposa à la fin du XIXe siècle le ramassage des ordures. Il obligea les propriétaires d'immeubles à mettre à disposition de leurs locataires des récipients communs, munis d'un couvercle et d'une capacité suffisante pour contenir les déchets ménagers.

61. Pour en savoir plus, consultez la campagne de l'ADEME « Réduisons nos déchets, ça déborde » (www.reduisonsnodechets.fr/) ou encore celle du WWF : « Du jetable au durable » (www.wwf.fr/dujetable-audurable-2004/index.php).
62. ADEME, septembre 2006.
63. Dans un rapport rendu public en septembre 2003 à l'occasion des Assises nationales des déchets, le commissariat général au Plan estime que 75 départements français ne seront plus capables de traiter tous leurs déchets d'ici à 2010. Aujourd'hui, selon l'ADEME, une dizaine de départements sont en situation de saturation.

Quelques chiffres

Pour commencer, un tableau pour nous ouvrir les yeux !

DURÉE DE VIE DES DÉCHETS [64]

TYPE DE DÉCHET	DURÉE DE VIE
Mouchoir en papier	3 mois
Journal	3 à 12 mois
Allumette	6 mois
Peau de banane	8 à 10 mois
Mégot (tabac et papier)	3 ou 4 mois
Mégot (tabac et papier) avec filtre	1 à 2 ans
Chewing-gum	5 ans
Papier de bonbon	5 ans
Canette en acier	100 ans
Briquet en plastique	100 ans
Canette en aluminium	200 ans
Sac en plastique	450 ans
Bouteille en plastique	500 ans
Polystyrène expansé	1 000 ans
Carte téléphonique	1 000 ans
Le verre	5 000 ans

PROPORTION DE MÉNAGES QUI TRIENT LEURS DÉCHETS [65]

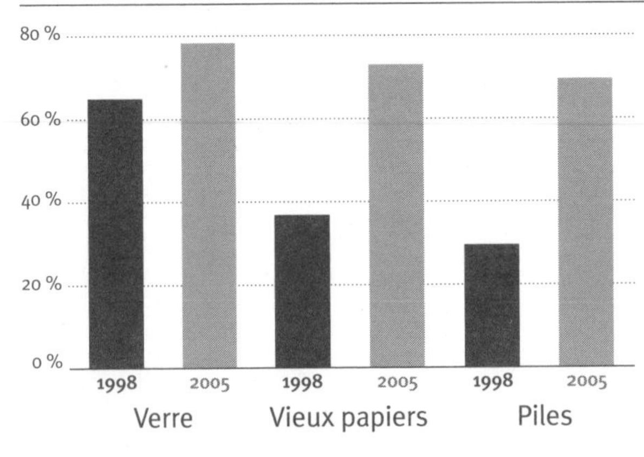

64. Source : www.notreplanete-info.com.
65. Source : enquête « Pratiques environnementales des ménages » de l'enquête permanente sur les conditions de vie des ménages (EPCV) de 1998 et 2005, Insee.

Que trouve-t-on dans nos poubelles [66] ?

Du verre (10 % du volume de nos poubelles).
Chaque année, plus de 10 milliards d'emballages en verre sont produits en France :
- 6 % pour les eaux et boissons rafraîchissantes ;
- 20 % pour des denrées alimentaires ;
- 5 % pour des apéritifs et liqueurs ;
- 33 % pour de la bière ;
- 36 % pour des vins et champagnes.

Tout le verre pourrait être récupéré et recyclé. Recyclable à 100 % et à l'infini, son traitement diminue de 12 % le poids des déchets ménagers à gérer.
- **Sont recyclables :** les bouteilles, les pots et les bocaux.
- **Ne sont pas recyclables :** la vaisselle en terre cuite ou en porcelaine, les miroirs, les vitres et les ampoules électriques.

Du papier et du carton (30 % du volume de nos poubelles).
La production papetière française est très diversifiée : papier journal, papier pour impression, écriture, emballage, conditionnement, papiers à usage sanitaire... Très faciles à recycler, les vieux papiers et cartons peuvent être récupérés et recyclés, éventuellement plusieurs fois. Leur traitement permet de fabriquer du papier recyclé.
- **Sont recyclables :** les journaux, magazines et prospectus, les cartons. Les briques alimentaires, également recyclables, sont utilisées par exemple dans la fabrication de cartons et de meubles.
- **Ne sont pas recyclables :** les enveloppes à fenêtre plastique, les papiers plastifiés, le papier carbone, les couches-culottes, les mouchoirs...

Des métaux (10 % du volume de nos poubelles).
Le métal est là même où l'on n'y pense pas : par exemple dans les feuilles d'aluminium qui ferment les pots de yaourt, les plats cuisinés, les papiers argentés des chocolats, les cigarettes...
Les métaux (bicyclettes, pièces automobiles, boîtes de conserve, couverts, com-

66. Source : Écopole, centre de ressources – Maison de l'environnement.

posants électroniques, poignées de porte, objets de la vie quotidienne – clés, parapluies...) présentent un potentiel satisfaisant de recyclage, mais nécessitent un tri préalable par type.

⟶ **Sont recyclables :** les boîtes de conserve, les canettes et barquettes en aluminium, les bombes aérosols, les bidons et boîtes métalliques. En France, 100 % de l'acier des automobiles en fin de vie est effectivement recyclé.

⟶ **Ne sont pas recyclables :** les boîtes et barquettes non vidées.

Des matières plastiques (8 % du volume de nos poubelles).

Pots de yaourt, ordinateurs, brosses à dents, vêtements, stylos, téléphones portables, composants automobiles, emballages... le plastique est partout.

Les matières plastiques étant souvent recyclables, leur traitement permet de les faire renaître sous différentes formes : pulls en laine polaire, fibre polyester pour rembourrer couettes ou anoraks, textiles d'isolation pour les bâtiments, tuyaux d'assainissement, gaines pour le passage des câbles, bouteilles, barquettes...

⟶ **Sont recyclables :** les bouteilles d'eau, de soda, de lait, de soupe, les flacons de lessive, les boîtes de chocolat en poudre, de produits d'entretien ou de toilette...

Les sacs plastique et les films plastique enveloppant les revues et les emballages, les pots de yaourt ou encore les barquettes sont trop légers et ne contiennent pas suffisamment de matière : leur recyclage n'est pas rentable.

⟶ **Pour optimiser le recyclage,** laissez les bouchons plastique sur les bouteilles (voir aussi l'encadré plus loin), mais retirez l'opercule en aluminium des bouteilles de lait.

Des matières organiques (30 % du volume de nos poubelles).

Le volume des déchets organiques varie en fonction des modes de consommation. Il est dommage d'acheter des portions familiales (moins chères mais plus volumineuses) que l'on doit jeter dès que la date limite de consommation est arrivée ou de préparer des quantités de nourriture trop importantes que l'on ne réutilise pas ensuite. Facilement compostables, elles trouvent un débouché dans la fertilisation des sols.

Enfin, des produits divers (12 % du volume de nos poubelles) :

textiles, combustibles et incombustibles divers, matériaux composites et complexes, déchets dangereux des ménages.

Les emballages représentent 40 % des ordures ménagères.
Un pourcentage effrayant !

Devenons des trieurs d'élite !

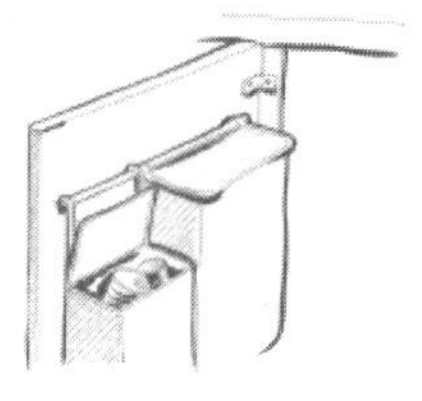

Oui, nous sommes tous plus ou moins paresseux ou négligents, mais cela se soigne très bien... **Le tri de nos déchets, c'est l'absolu minimum !** On a vite fait de s'habituer à ne plus avoir une poubelle unique où tout entasser mais deux ou trois poubelles dans la cuisine (il existe désormais des poubelles compartimentées... jolies mais malheureusement encore trop chères). Le tri des déchets implique chaque citoyen individuellement. Il demande toutefois un apprentissage : en effet, s'il est mal fait, cela fait perdre du temps au centre de tri qui doit re-trier, et cela risque de souiller les déchets recyclables. Souvent, les poubelles mal triées ne sont pas acceptées au centre de tri et repartent avec les déchets non recyclables. **Suivez le guide...**

Dans les bacs, sacs ou conteneurs jaunes

- **On met,** avec leur bouchon, les bouteilles et flacons en plastique quelle que soit leur taille : les bouteilles de soda, d'eau, de lait, de soupe, les flacons d'adoucissant, de lessive, de liquide vaisselle, de mayonnaise, les conteneurs à vin, les flacons plastique de shampooing, de bain moussant, de gel douche...
- **On ne met pas :** les bouteilles d'huile, de produits toxiques, le polystyrène, les sacs plastique, les petits emballages en plastique, tels que les barquettes et les pots de yaourt, de crème fraîche, ni les barquettes en polystyrène, ni rien qui contienne des restes, les couches-culottes, les papiers salis ou gras, les barquettes sales, les mouchoirs en papier et autres articles hygiéniques, les films plastique enveloppant les revues et les emballages.

Récupérer les bouchons en plastique

L'association Bouchons d'amour*, créée en 2001 par le comique Jean-Marie Bigard, collecte les bouchons plastique (de bouteilles d'eau plate ou gazeuse, de lait, de soda), les trie et les revend, à la tonne, à un recycleur. Cela permet d'acheter du matériel handisport à des personnes handicapées (un fauteuil roulant coûte, en moyenne, 1 000 euros !) et d'aider ponctuellement des associations en difficulté. Ces deux dernières années, l'association a revendu 3 200 tonnes de bouchons. Tout au long de la chaîne, il n'existe que des bénévoles. Et si vous mettiez une grande bassine dans votre local poubelle pour tous les copropriétaires ?

*** Site Internet : www.bouchonsdamour.com/.**

Dans les bacs ou conteneurs bleus

⇢ **On met,** débarrassés de leurs films plastique, les journaux, magazines, revues et prospectus.

⇢ **On ne met pas :** les films en plastique d'emballage de journal, le papier peint, les enveloppes, le calque ni le carbone.

Dans les bacs ou conteneurs verts

⇢ **On met :** les bouteilles et flacons en verre, les bocaux de conserve, les pots (à confiture, pour bébé, à yaourt) et les flacons de shampooing, de gel douche, lorsqu'ils sont en verre.

⇢ **On ne met pas :** les bouteilles d'huile, la faïence, les pots en terre, la vaisselle cassée, les ampoules électriques, le cristal, les miroirs, le verre feuilleté : ce ne sont pas des emballages.

Et dans nos vieilles poubelles ou bacs ?

⇢ **On met :** tout ce qui est périssable, tout ce qui n'entre pas dans les bacs jaunes, bleus ou verts et tous les emballages sur lesquels on a un doute !

⇢ **On ne met pas :** les emballages qui peuvent être recyclés.

Une astuce pour votre cuisine : optez pour une poubelle à plusieurs compartiments plutôt que pour plusieurs poubelles ou d'innombrables sacs en plastique.

Ce qui ne doit pas aller dans la poubelle

À apporter dans les déchetteries ou dans des magasins spécialisés :

- les piles usagées et accumulateurs (une simple pile bouton pollue 400 000 litres d'eau !) ;
- les composants électroniques ;
- les cartouches d'imprimante (jet d'encre comme laser) ;
- les médicaments et leurs emballages. Les déchets issus des médicaments émanant des ménages représentent environ 70 000 tonnes par an, soit 0,3 % des déchets ménagers et 1 % des déchets d'emballages ménagers ;
- les batteries de voiture et les pneumatiques ;
- les bouteilles d'huile ;
- les produits chimiques et toxiques (bombes aérosols, cires, colorants, engrais,

herbicides, huiles, métaux, nettoyants, peintures, radiographies, solvants...), ainsi que leurs récipients vides.

··· Six gestes basiques

- Laissez le couvercle en permanence sur la poubelle.
- Séparez, à la maison, les matériaux recyclables par familles (journaux et carton, verre, aluminium, plastique). C'est une condition essentielle de l'efficacité de la collecte sélective.
- Utilisez la déchetterie : on y trouve les bennes appropriées pour déposer les gravats, les déchets de jardin, les déchets encombrants, certains produits dangereux (peintures, solvants...).
- Jetez utile : les associations caritatives collectent, réparent puis revendent les appareils ménagers, les meubles, les vêtements que l'on jette. Pour ce qui est trop abîmé, certaines d'entre elles prélèvent des pièces détachées et recyclent les matériaux.
- Une poubelle en plastique se nettoie avec un nettoyant multi-usages. On peut vaporiser du vinaigre blanc pour la désinfecter.
- N'oubliez pas vos animaux de compagnie... On peut nourrir ses animaux domestique avec nos « restes » : la viande et le poisson pour le chat (le mien aime aussi les haricots verts, la chantilly et le chocolat...) ou le chien, les épluchures pour le cochon d'Inde et le hamster voire le lapin, ou encore les miettes de pain pour les oiseaux, sans oublier d'y ajouter en hiver quelques matières grasses (croûtes de fromage, margarine, graines de tournesol ou de sarrasin...).

··· Quid des sacs-poubelle ?

On peut réutiliser des sacs plastique comme sacs-poubelle.
Il existe par ailleurs des sacs-poubelle portant un éco-label, moins nocifs pour l'environnement.

··· Stop au sur-emballage !

- Privilégiez les produits sans emballage surdimensionné ou sans sur-emballage inutile (par exemple parmi les produits de beauté).
- Certains produits sont emballés deux fois, de carton puis de plastique ou l'inverse (la plupart des packs de yaourts par exemple) ! Apprenez à les repérer et à les éviter.
- Pour les denrées non périssables (sel, sucre, café, céréales, riz, épices), préférez un achat en vrac quand c'est possible, ou en grand conditionnement (1 ou 2 kg, à condition que cette quantité corresponde à votre consommation).

• Choisissez les produits concentrés et les éco-recharges (lessives, savon liquide, détergents multi-usages...) tout en veillant à ne pas surdoser les produits concentrés et à respecter les consignes d'utilisation.

Quand on le sait, on ne peut plus l'oublier !

• Six petits fromages blancs demandent plus d'emballages qu'un grand pot de quantité équivalente.

• Préférez les emballages en carton aux emballages plastique (pour les œufs, par exemple).

Recycler, pour quoi faire ?

Une fois collectés, les emballages que vous avez triés prennent le chemin des centres de tri. Là, ils sont groupés par catégorie de matériaux puis envoyés dans des usines de recyclage avant d'entamer une seconde vie.

Vous pouvez donc aussi agir en choisissant des produits ou des emballages recyclables. En effet, pour que le recyclage fonctionne, il faut qu'il existe des débouchés commerciaux pour les produits recyclés. **Ainsi, rien ne sert d'acheter du recyclable si vous n'achetez pas aussi du recyclé afin de boucler la boucle.** Le recyclage des déchets permet de fabriquer des objets usuels :

• avec le verre recyclé, on fabrique de nouvelles bouteilles ;

• avec le papier recyclé, des journaux ;

• avec le plastique recyclé, des tuyaux et même des pull-overs. Ainsi, deux bouteilles en plastique servent à la fabrication d'une écharpe ou d'une montre !

• avec le métal, de nouveaux emballages. L'aluminium des canettes se recycle à l'infini pour construire des cadres de vélo.

Trier, c'est préserver les ressources naturelles. La preuve, en 2005 :

• grâce aux 393 000 tonnes de papier et carton recyclés, plus d'un million de tonnes de bois est resté sur pied dans les forêts ;

• 140 000 tonnes de pétrole ont été épargnées grâce à l'équivalent de 6 milliards de bouteilles et flacons en plastique triés !

···› Éviter le plastique

Les matières plastiques ont littéralement envahi notre quotidien ! Le consommateur l'assimile à un produit « jetable » après usage. Pourtant, il devient impératif de réagir, car les plastiques ont une longue vie : ces matériaux ne sont pas biodégradables. Aussi incassables qu'imputrescibles, ils ne craignent ni le gel ni la dessiccation. Ils causent donc une pollution durable...

Entreposés dans les décharges, si les plastiques restent à la surface, ils s'envolent à la moindre brise. S'ils sont enfouis dans le sol, leur nature imperméable empêche les gaz inflammables de décomposition des déchets de s'échapper, ce qui augmente les risques d'incendie ou d'explosion.

Le meilleur moyen de lutter contre le plastique est d'en produire le moins possible, donc d'en consommer le moins possible ! Refusez les emballages superflus ou non recyclables et faites connaître votre opinion au vendeur !

···› Pas de chewing-gum par terre

Ne jetez plus vos chewing-gums par terre ! Les chewing-gums ne sont pas biodégradables. Ces matières mettent des milliers d'années à disparaître, alors que les jeter dans une poubelle prend une seconde. Idem pour vos mégots...

···› Vous avez un jardin ? Récupérez les déchets alimentaires

Réservez une poubelle pour les déchets organiques (un tiers des déchets ménagers) afin de les transformer en compost pour le jardin. Vous pouvez vous procurer un composteur qui, en quelques mois, fera de vos déchets alimentaires du compost pour fertiliser votre jardin (voir *Le compostage : les déchets bons pour le jardin,* p. 17).

Échange durable contre jetable...

Les produits jetables symbolisent notre société de consommation : on achète, on jette puis on rachète. Cela simplifie la vie ! Mais le problème est que, une fois leur très courte vie terminée, ils donnent de l'embonpoint à votre poubelle !

De nombreux produits ne sont utilisés que quelques fois, voire une seule, alors que souvent des alternatives moins génératrices de déchets existent. Essayons de passer du mono-usage au durable chaque fois que cela est possible en privilégiant :

– la vaisselle en verre, porcelaine... par rapport à la vaisselle en carton ou plastique, même pour des fêtes (quand il n'y a pas trop d'invités) ;

• les cabas, sacs à dos ou paniers par rapport aux sacs de caisse jetables ;
• pour nettoyer, les éponges ou chiffons et produit adapté plutôt que les lingettes d'entretien. De même, le papier essuie-tout est bien pratique, mais réapprenons à utiliser d'abord, selon le cas, éponge, torchon ou chiffon ;
• les boîtes en plastique, verre ou métal pour le stockage : réservons le papier aluminium ou sulfurisé plutôt aux cas particuliers ;
• les rasoirs solides (bois, métal...) à lames rechargeables par rapport aux rasoirs jetables en plastique...

···› Quid des lingettes ?

L'éponge, la serpillière et le torchon peuvent être utilisés plusieurs fois, à l'inverse du papier essuie-tout et, surtout, bête noire de la planète, des lingettes à usage unique. Quatre foyers français sur dix en utilisent régulièrement. Imprégnées de produit, elles nettoient aujourd'hui la maison du sol au plafond, démaquillent les femmes, débarbouillent les bébés, et même les chiens et les plantes. Certes, elles sont pratiques mais, même si elles permettent d'économiser de l'eau, elles produisent trois à six fois plus de déchets que les produits traditionnels tout en contribuant à la pollution de l'air. **C'est une véritable catastrophe écologique :** non biodégradables, peu valorisables, produisant beaucoup de déchets, elles sont également très chères. Nettoyer la maison avec des lingettes revient 15 fois plus cher qu'à la serpillière et au balai et génère 23 kg de déchets par an contre 1,1 kg pour un nettoyage traditionnel, selon une étude de l'Observatoire de la consommation durable à Bruxelles. La prochaine fois que vous êtes tenté, faites-vous violence une petite seconde et passez à l'achat suivant.

···› Les couches usagées : 5 % des déchets ménagers !

Si l'on compte cinq couches jetables par jour, bébé consomme 1 825 couches par an, rien que ça ! Ces dernières mettront entre 300 et 500 ans à se dégrader partiellement.

Et si nous imitions les Anglais ? La ville de Milton-Keynes, en Angleterre, a lancé en 1999 une campagne de communication sur l'utilisation des couches réutilisables en proposant un service de nettoyage. Environ 5 % de jeunes parents ont adopté ce service. Une couche en coton lavable s'utilise 200 fois puis sert de chiffon et se dégrade totalement en six mois.

Les couches lavables sont préformées, comme leurs concurrentes. Elles se ferment par Velcro, boutons-pression, elles sont munies d'élastiques aux cuisses et à la taille. Des feuillets permettent de récupérer les selles sans se salir les mains et de les jeter aux toilettes. Les selles des enfants sont ainsi traitées comme celles des adultes, en station d'épuration ou en fosse septique. Les couches peuvent être lavées avec le reste du linge [67]. Et si l'on arrêtait de croire que la couche jetable est moderne ?

Sème pas tes piles !

Aujourd'hui, les piles sont partout, de toutes les tailles et de toutes les formes : pile bouton pour la montre, piles bâton pour le baladeur, le lecteur de CD, la mini-console ou encore pile plate pour la lampe de poche. Chaque année en France, 875 millions de piles et 66,7 millions d'accumulateurs portables sont achetés. Or, seulement 32 % des piles vendues ont été collectées et recyclées [68].

Alors qu'un foyer français possède en moyenne 25 appareils à pile, **deux piles sur trois sont jetées dans la poubelle** ou dans la rue en France, deux fois plus qu'en Belgique et en Autriche ! Or, elles contiennent des métaux lourds dangereux pour la santé et l'environnement (principalement du cadmium et du nickel). Un groupe d'associations a lancé, depuis 2005, la campagne « Sème pas tes piles [69] » pour inciter les consommateurs à déposer les piles et les batteries usagées dans les bacs prévus, mais aussi à en utiliser avec plus de modération.

> **Une seule pile bouton égarée dans la nature pollue 1 m³ de terre pendant 50 ans et 1 000 litres d'eau.**

Les émissions annuelles de mercure par les piles sont d'environ 32 tonnes dont 84 % d'oxyde de mercure. Le mercure est un toxique redoutable : il a un effet sur

67. Pour connaître des expériences de mamans sur Internet : http://groups.msn.com/Lescoucheslavables, http://auxbonheursdesophie.free.fr/lapageverte.htm, http://maman-nature.com (voir le forum), ou encore http://ecofamille/index.html (voir le forum).
68. Source : ADEME.
69. Consultez le site www.amisdelaterre.org/seme-pas-tes-piles.html.

le système nerveux, il est cancérigène et contamine les nappes phréatiques. Les accumulateurs au nickel cadmium (que l'on trouve dans l'électroménager, certains jouets, les caméscopes...) rejettent, une fois en décharge, 90 tonnes de cadmium par an, qu'il est donc indispensable de confiner, eu égard à la toxicité aiguë de ce composé.

···❖ Que faire [70] ?

• Préférez l'alimentation secteur aux piles ou à la batterie chaque fois que cela est possible. Ne faites pas marcher votre ordinateur portable sur batterie à la maison ou au bureau !

• Privilégiez les appareils qui fonctionnent sans piles : lampes et calculatrices solaires, pèse-personne mécanique, appareils branchés sur le secteur... Il existe aussi de belles montres mécaniques et solides, automatiques ou à remonter à la main, comme autrefois. On trouve également dans le commerce des thermomètres sans pile ou encore des radios fonctionnant sur le principe de l'énergie musculaire : on les remonte 90 secondes et pendant une demi-heure on peut écouter son programme préféré en randonnée... En plus, elles ne tombent jamais en panne !

• Préférez les piles alcalines aux piles classiques (salines). Elles durent plus longtemps.

• Lorsque c'est possible, privilégiez les piles rechargeables (Ni-MH, plutôt que Ni-Cd) par rapport aux piles qui ne servent qu'une fois et qui constituent un énorme gaspillage.

• Utilisez encore les piles devenues inaptes pour un baladeur ou pour une télécommande, en les posant sur d'autres appareils, très peu gourmands : ainsi, l'horloge murale de la cuisine pourra fonctionner un an avec la pile usagée de la télécommande.

• Et surtout ne les jetez jamais (même les piles rechargeables !) dans les poubelles ni dans les sacs de collecte sélective (pour les emballages). Apportez-les systématiquement à une déchetterie ou, plus simplement, rapportez-les au magasin où vous les avez achetées (ou à tout autre magasin vendant des piles et accumulateurs). Tous les producteurs de piles, batteries et accumulateurs ont l'obligation de reprendre les piles et accumulateurs qu'ils commercialisent lorsqu'ils sont usagés. La majorité des producteurs de piles (90 % du marché des piles vendues en France) ont confié cette mission à Corepile. Corepile met à disposition les bacs de collecte

70. Astuces venues de l'incontournable site www.reduisonsnosdechets.fr.

de piles et des accumulateurs usagés dans les grandes surfaces, bureaux de tabac, magasins hi-fi et dans plus de 2 800 déchetteries... et assure leur collecte et leur traitement. D'autres organismes dont Screlec assurent également la collecte et la valorisation des piles et accumulateurs : par exemple le Collectif du recyclage pour les appareils photo.

Les piles rechargeables conviennent-elles à toutes les applications ?
Les piles rechargeables peuvent être rechargées jusqu'à mille fois et conviennent parfaitement aux baladeurs, jouets téléguidés, enregistreurs à cassettes, radios, jeux électroniques, appareils photo numériques... Elles fournissent une tension équivalente à 1,2 V (contre 1,5 V pour les piles jetables). C'est parfait pour la plupart des applications domestiques, mais insuffisant pour certains appareils comme les caméras... Les piles rechargées se déchargent lentement (par phénomène d'autodécharge, ce qui explique pourquoi les piles rechargeables sont toujours vendues vides). Elles sont donc déconseillées pour les appareils qui consomment peu d'énergie (commande à distance, horloge...) ou ceux dont on ne se sert qu'occasionnellement (torches électriques, détecteurs de fumée...), car elles se videraient plus vite par autodécharge que du fait de leur utilisation.
Il ne faut pas utiliser de piles rechargeables dans des jouets lorsque c'est mentionné sur l'emballage, cela les abîmerait.

Les encombrants [71]

Le lave-linge, le lave-vaisselle, le réfrigérateur, le téléviseur, la chaîne hi-fi, la cuisinière, l'armoire, la commode, l'ordinateur... tous ces biens d'équipement améliorent notre confort puis finissent par encombrer quand ils sont vieux, usés, dépassés, périmés, cassés...
Ces déchets occasionnels, en raison de leur volume, ne peuvent être pris en compte par la collecte usuelle des ordures ménagères.
Pour vous débarrasser de vos objets encombrants mais réparables ou réutilisables, pourquoi ne pas faire appel à des associations ou des entreprises d'insertion œuvrant dans le secteur de l'économie sociale et solidaire ? Elles ont toutes le même objectif : concilier protection de l'environnement et réinsertion sociale. Les objets sont soit remis en état, soit démantelés dans le respect des réglementations

71. Fiche pratique de l'ADEME.

sur la protection de l'environnement afin de réemployer des pièces ou de valoriser les résidus (métaux ferreux, non ferreux, bois...). Les objets (appareils électroménagers, mobilier, jouets...) sont ensuite mis en vente à des prix bas, voire donnés à des familles en grande difficulté.
⇢ Contactez la mairie pour connaître les coordonnées des structures les plus proches de chez vous.

⇢ N'oubliez jamais que **les 111 communautés Emmaüs** reprennent les appareils en bon état de marche. La plupart possèdent également un atelier de réparation ou de démontage. Pour connaître l'adresse la plus proche de chez vous : www.emmaus-france.org/.

En 2002, les communautés ont :
• collecté 3,1 millions de mètres cubes de marchandises ;
• effectué 435 903 ramassages ;
• récupéré 57 618 tonnes de matières premières recyclables ;
• éliminé 53 029 tonnes de déchets.

Le réseau Envie (50 magasins répartis dans toute la France) est spécialisé dans la récupération et la remise en état d'appareils électroménagers en fin de vie et la revente d'appareils rénovés garantis un an.
En 2006, le réseau a collecté près de 34 000 tonnes de déchets, ce qui représente 800 000 appareils, et en a rénové plus de 65 000 avec une garantie d'un an, en favorisant leur achat par des personnes à faible revenu...
Pour connaître le magasin le plus proche de chez vous : Fédération Envie, 293, avenue du Président-Wilson, 93210 Saint-Denis-la-Plaine. Tél. : 01 48 13 90 00 – Fax : 01 48 13 90 01 – Site Web : www.envie.org/

Les encombrants à Paris. La collectivité a l'obligation de collecter et d'éliminer les déchets des ménages. Chaque ville a ses propres solutions. À Paris, les particuliers peuvent apporter gratuitement leurs encombrants (mobilier, électroménager, ferraille, métaux, déchets verts...) et leurs gravats en petites quantités (débris provenant de travaux, de bricolage) dans huit déchetteries :
• **Invalides (7e)** : 1, rue Fabert et rue Paul-et-Jean-Lerolle. Métro : Invalides. Ouverte le lundi matin de 7 h 00 à 13 h 00 et du mardi au samedi de 7 h 00 à 19 h 30. Tél. : 01 47 53 61 42

• **Poterne des Peupliers (13e) :** 8, rue Jacques-Destrée, sous la bretelle de sortie du boulevard périphérique extérieur. Métro : Porte d'Italie. Ouverte tous les jours de 9 h 30 à 19 h 00. Tél. : 01 46 63 38 59
• **Quai d'Issy (15e) :** sous l'échangeur du quai d'Issy du périphérique, voie AD15. Métro : Balard, ou RER : Boulevard Victor. Ouverte tous les jours de 9 h 30 à 19 h 00. Tél : 01 45 57 27 35
• **Porte de la Chapelle (18e) :** 17-25, avenue de la Porte-de-la-Chapelle. Métro : Porte de la Chapelle. Ouverte tous les jours de 9 h 30 à 19 h 00. Tél. : 01 40 37 15 90
• **Porte des Lilas (20e) :** rue des Frères-Flavien. Métro : Porte des Lilas. Ouverte tous les jours de 7 h 30 à 12 h 00 et de 12 h 30 à 19 h 30. Ouverte à 8 h 00 les samedis et dimanches ainsi que les jours fériés où un accueil est prévu. Tél. : 01 43 61 57 36
• **Déchetterie de Romainville :** 62, rue Anatole-France, 93230 Romainville. Du 1er octobre au 31 avril, ouverte du lundi au samedi de 8 h 00 à 19 h 45. Du 2 mai au 30 septembre, ouverte du lundi au samedi de 8 h 00 à 20 h 45. Ouverte toute l'année le dimanche et les jours fériés (sauf le 1er mai) de 8 h 00 à 16 h 45. Tél. : 01 41 83 77 20
• **Déchetterie d'Ivry :** 44, rue Victor-Hugo, 94230 Ivry-sur-Seine. Ouverte tous les jours de 10 h 00 à 18 h 00, fermée le 1er mai. Tél. : 01 43 90 00 28
• **Déchetterie de Saint-Denis :** 25, boulevard de la Libération, 93200 Saint-Denis. Du 1er octobre au 31 avril, ouverte du lundi au samedi de 8 h 00 à 19 h 45. Du 2 mai au 30 septembre, ouverte du lundi au samedi de 8 h 00 à 20 h 45. Ouverte toute l'année le dimanche et les jours fériés (sauf le 1er mai) de 8 h 00 à 16 h 45. Tél. : 01 48 09 31 50

Le service de la propreté de l'arrondissement propose par ailleurs un enlèvement gratuit jusqu'à 3 m^3 (un canapé + un frigo + un matelas par exemple), à l'exclusion des gravats (débris provenant de travaux de bricolage). Le demandeur doit signaler qu'il a des objets encombrants à faire enlever, directement en ligne sur paris.fr, ou en appelant le centre d'appel 39 75 (prix d'un appel local). Il peut ensuite déposer ses encombrants, du lundi au samedi, entre 6 h 00 et 8 h 00 pour un enlèvement le matin ou entre midi et 14 heures pour un enlèvement l'après-midi.

Vos éco-gestes d'or

À vous de jouer ! Et si vous changiez votre quotidien ? Et si vous choisissiez cinq éco-gestes de ce chapitre sur les poubelles et le recyclage que vous effectuerez chaque jour ? En fonction de votre personnalité, certains actes vous semblent insurmontables (vos habitudes vous paraissent trop ancrées...), d'autres en revanche vous vont déjà comme un gant !

Vous verrez, lorsque vous aurez pris une décision (et pas seulement une « bonne résolution »), chaque fois que vous la mettrez en pratique, vous vous sentirez lié à la Terre par un fil invisible...

Notez ici les cinq éco-gestes retenus, en signe de votre engagement. Ce peut être l'occasion d'avoir une conversation familiale où chacun choisit les gestes qu'il va introduire dans son quotidien. Une autre façon d'aller, ensemble, vers l'avenir...

P.-S. Si vous vous sentez motivés par plus de cinq éco-gestes, n'hésitez pas !

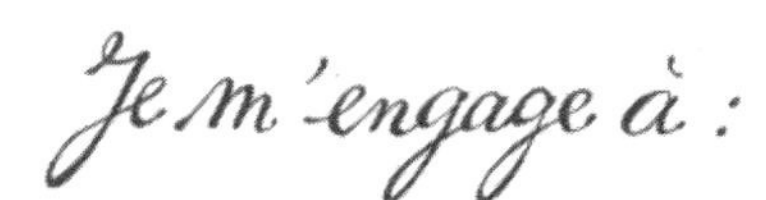

VOUS : ____________________

1. ____________________

2. ____________________

3. ____________________

4. ____________________

5. ____________________

VOTRE CONJOINT :

1.

2.

3.

4.

5.

LES ENFANTS :

1.

2.

3.

4.

5.

1.

2.

3.

4.

5.

À l'école

« Il n'y a pas d'un côté l'homme et de l'autre la nature. Il y a la nature. Toucher à la nature, c'est atteindre l'homme. Respecter la nature est une attitude parfaitement humaniste. »
Nicolas Hulot

En attendant que les professeurs et les instituteurs mettent en place quelques heures consacrées à notre environnement et à la prévention, voici quelques idées pour nos chères têtes blondes... C'est en les éduquant dès leur jeune âge que l'on prépare les réflexes des citoyens de demain. Les plus jeunes sont d'ailleurs déjà souvent bien plus sensibilisés que leurs aînés !

Sur le trajet de l'école...

« Tout le monde veut retourner à la nature, mais personne ne veut y aller à pied. »
Sagesse populaire

En France, une étude sur « la dépose en voiture des écoliers », commandée par l'ADEME, montre qu'**un enfant sur trois est conduit en voiture à l'école.** Cela aggrave directement la pollution de l'air à proximité des établissements scolaires ! Le phénomène prend même une ampleur supplémentaire à Marseille et Lille, où la moitié seulement des élèves de 5 à 9 ans se rend à l'école à pied (contre plus des trois quarts en 1976 !).
Pourtant, ici encore, des solutions existent :
- Le covoiturage avec trois enfants et un parent réduit déjà d'un facteur 5 la pollution par rapport au « parent-taxi ».
- Le vélo pour aller à l'école : c'est plus écologique, plus sportif et plus amusant.
- La marche à pied.

L'opération « Marchons vers l'école » correspond, depuis 2000, à une période de mobilisation internationale pendant une journée d'octobre, étendue à une semaine depuis 2003.

Cette opération vise principalement à sensibiliser les parents et les enfants à la pratique de la marche et du vélo pour aller à l'école, individuellement ou en groupe accompagné. En général, l'initiative est prise par la ville ou l'école, parfois par un groupe ou une association de parents d'élèves motivés. À vous de la suggérer [72] !

Un cartable « vert »

La rentrée représente un budget important, de plus de 200 euros par enfant à partir de la sixième [73]. Elle fournit une excellente occasion de privilégier la consommation durable. Bleu, rouge ou jaune, un cartable peut être « vert »... Pourquoi vouloir chaque année tout renouveler ? Vous pouvez essayer de choisir des fournitures utiles, réparables, réutilisables et respectueuses de l'environnement.

Un cartable écolo contient des produits :

- sans produits toxiques ;
- sans métaux lourds (mine, couleur et teinture utilisées) ;
- avec emballages recyclés (boîte de crayons de couleur, boîte de feutres) ;
- avec papier recyclé (cahier, stylos et chemises) ;
- sans chlore et sans solvant (gomme, colle, feutres) ;
- en bois non verni et non traité, certifié FSC ;
- rechargeables (colle, stylos...).

72. Pour plus d'informations sur ce sujet, consultez :
• les sites Internet de l'ADEME et de l'ARENE (Agence régionale de l'environnement et des nouvelles énergies) : www.areneidf.com et www.ademe.fr/ile-de-France ;
• les fiches « Pourquoi et comment encourager l'éco-mobilité scolaire », août 2003, ARENE-ADEME Île-de-France, et « Comment élaborer un plan de déplacements d'école », août 2003, ARENE-ADEME Île-de-France ;
• le guide *Inventons de nouveaux chemins vers l'école*, édité par l'ADEME et la Prévention routière en septembre 2002.
• « Pistes et préconisations pour organiser une action pédagogique sur l'éco-mobilité en milieu scolaire », juillet 2003, ARENE.
• sur www.schoolway.net/, « Cheminons vers l'école », site de parents voulant organiser des « vélobus » ou des « pédibus ».
73. Pour les foyers à faibles ressources, une allocation rentrée scolaire existe pour les enfants entre 6 et 18 ans.

···› Quelles fournitures choisir ?

• **Un cartable** est souvent soumis à rude épreuve. Choisissez-le :
– solide, pour qu'il dure plusieurs années (en cuir ou en toile de préférence au plastique ou au Nylon) ;
– réglable, pour s'adapter à la taille de l'enfant ;
– de préférence en matière recyclée.

La recherche de produits durables peut aussi s'appliquer à la trousse et aux classeurs.

• **Crayons noirs :** privilégiez le portemine rechargeable, suivi du crayon en bois non teinté et non vernis. Certes, les portemines consomment de l'énergie et des matières premières lors de leur production, mais ils sont durables et rechargeables, ce qui limite les atteintes à l'environnement tout au long de la vie du produit. Les crayons en bois naturel permettent d'éviter les vernis et teintures qui sont des produits synthétiques, souvent toxiques, et qui n'étant pas nécessaires au bon fonctionnement du crayon constituent donc un gaspillage de matières premières et une pollution inutile.

• **Crayons de couleur :** choisissez des crayons non teintés et non vernis portant de préférence la mention « CE » ou des crayons labellisés FSC (ce label, mis en place par Greenpeace, le WWF et Les Amis de la Terre, garantit une gestion durable des forêts).

• **Surligneurs :** certains – un quart d'entre eux ! – contiennent des substances telles que trichloroéthane, toluène, xylène, éthers de glycol. Ils sont repérables à leur forte odeur et il vaut mieux les éviter... Ayez l'œil sur les étiquettes !

Si un marqueur est imposé par l'école, choisissez-le avec une encre à base d'eau (marquage non permanent, repérable par la mention « lavable » sur l'emballage) ou d'alcool (marquage permanent) sans métaux lourds, de préférence en polypropylène (symbole PP, moins dommageable pour l'environnement que le PVC). Afin de prolonger la vie des feutres, il faut les refermer immédiatement après usage.

• **Gomme :** en caoutchouc naturel, beige opaque, non teinté, plutôt qu'en plastique.

• **Blocs, cahiers, feuilles :** tous sont disponibles en papier 100 % recyclé, non blanchi ou sans chlore.

Pour le brouillon, pensez aussi au grammage : 70 g est un grammage largement suffisant. Privilégiez également le « mono-matériau » : choisissez de préférence un cahier avec couverture en carton plutôt qu'en plastique, cela favorise son recyclage.

• **Protège-cahier, rouleau adhésif ou couvre-livre :** pour toutes les matières plastiques, choisissez celles qui ont le moins d'impacts sur l'environnement : le polypropylène (PP) plutôt que le PVC notamment.

• **Règles :** en métal ou en bois naturel, plus robustes que celles en plastique.

• **Calculatrices :** à énergie solaire plutôt qu'à piles ; à défaut, à piles rechargeables.

Sans oublier :

• stylo-plume rechargeable. Préférez l'encre bleue car elle est à l'eau : moins de composants chimiques ;

• portemine rechargeable ;

• correcteur à base d'eau ou d'alcool ;

• peinture à l'eau.

Les produits de bricolage (vernis, colles...) qui ne sont pas destinés aux enfants sont à éviter.

Petite liste d'objets que l'on peut garder d'une année sur l'autre

• classeurs ;

• intercalaires ;

• pages des cahiers encore vierges ;

• règle, gomme, taille-crayon... Il suffit de les passer sous l'eau et ils ressortent comme neufs ;

• pochettes plastique...

Dessiner bio !

Beaucoup de gouaches (et/ou d'huiles, d'aquarelles...) utilisées en arts plastiques contiennent des métaux lourds toxiques (cadmium, cobalt, etc.). Incitez votre enfant à ne pas les gaspiller ou ne lui en achetez pas une nouvelle boîte chaque année. Apprenez-lui à finir les tubes et, surtout, à préparer les mélanges de couleurs en juste quantité sur du plastique, une assiette, du métal ou une matière non absorbante (surtout pas du papier).

Idéalement, il faut pré-nettoyer les pinceaux et palettes (les essuyer dans un papier ou un chiffon ou dans un conteneur d'eau ou de solvant – qu'on ne jette pas dans l'évier) avant de les nettoyer au robinet, de manière à envoyer moins de toxiques dans les égouts.

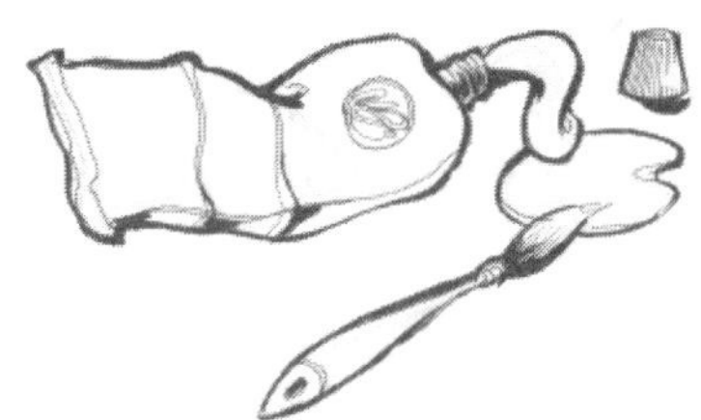

Divers

···❖ Ne plus gâcher le papier !

(Voir également *La gestion du papier*, dans la section sur le bureau, p. 154.)

Le papier est utilisé tous les jours à l'école. Vous pouvez acheter en recyclé cahiers, feuilles, pochettes, classeurs et papier à lettres... La fabrication de papier recyclé consomme **six fois moins d'eau et quatre fois moins d'énergie** que la fabrication du papier neuf. La pollution chimique qui en découle est divisée par 25. Et les produits recyclés sont plus faciles à trouver qu'on le pense ! Si votre magasin n'en propose pas (fichtre !), demandez-en à un vendeur : au bout de dix demandes comme la vôtre, l'enseigne finira par s'approvisionner !

···❖ Il suffit d'y penser...

À la fin de l'année, rendez les livres encore couverts : cela permettra aux suivants de ne pas les recouvrir et de gâcher un minimum de plastique !

···❖ Goûter naturel

Lorsque vous préparez un goûter pour l'école, pensez à acheter de grandes quantités (grand gâteau style cake) au lieu de petits gâteaux préemballés et à utiliser des boîtes en plastique pour les mettre dedans. Faites de même pour les boissons : au lieu d'acheter des briques ou des canettes, achetez des grandes bouteilles et versez la quantité voulue dans une petite gourde ou bouteille que vous réutiliserez.

···❖ Mobiliser la direction de l'école

Vous pouvez aussi suggérer quelques astuces à l'établissement scolaire, comme :

• Réécrire les listes de fournitures scolaires et remplacer cahier par classeur, règle en plastique par règle en bois...
• Mettre deux poubelles dans chaque classe (une pour le papier, l'autre pour le reste, cartouches d'encre, vieux crayons...).
• Fixer aux murs des petites affiches d'information et de sensibilisation sur l'écologie.

Idées d'une enseignante internaute

Pour sensibiliser les élèves à l'environnement, les idées ne manquent pas, et vous serez étonné de voir à quel point les enfants s'y impliquent ! Vous pouvez nommer un élève « responsable énergie », qui veille à ce que les lumières de la classe ne soient pas allumées inutilement ou encore qui garde l'œil sur l'utilisation des robinets. Vous pouvez aussi fabriquer du papier recyclé, faire des comparatifs d'emballages après un goûter... et même écrire un album thématique !

···❖ Aérer la salle

Une salle de classe sans système de ventilation, remplie d'élèves pendant plusieurs heures, devient vite irrespirable. L'air intérieur non renouvelé peut être plus pollué que l'air extérieur. Il est bon de penser à ouvrir régulièrement les fenêtres, afin de faire le plein d'oxygène ! Bien sûr, en hiver, comme à la maison, il faut faire attention à ne pas perdre toute la chaleur : dix minutes d'aération suffisent.

···❖ S'impliquer dans la vie locale dès le plus jeune âge

Contribuer à l'amélioration de la vie de son quartier ou de sa ville est un idéal qui intéresse tout le monde, y compris les plus jeunes. Avec l'ANACEJ (Association nationale des conseils d'enfants et de jeunes), c'est devenu possible : il existe des conseils municipaux d'enfants ou de jeunes (9-18 ans) où les jeunes peuvent s'exprimer, participer et agir dans la cité [74].

Plus « musclé », l'éco-Parlement des jeunes est un programme d'éducation à l'environnement mis en place tous les deux ans par Éco-Emballages, en partenariat

74. L'ANACEJ rassemble plus de 450 communes dotées de conseils communaux d'enfants et de jeunes et les soutient dans leur action. ANACEJ, 105, rue Lafayette, 75010 Paris. Tél. : 01 56 35 05 35.

avec le réseau École et Nature [75]. Lors de sa dernière édition, en octobre 2006, 3 600 jeunes âgés de 15 à 17 ans, issus de 120 classes d'Europe et du Canada (14 pays) ont participé. En France, 26 classes ont été sélectionnées. Le principal critère de sélection est l'implication de la classe et du lycée dans un projet écologique. Pour interpeller les responsables politiques au plus haut niveau et connaître leurs engagements sur le plan environnemental [76].

Journalistes en herbe

Chaque année, des milliers de journalistes en herbe (11 à 20 ans) entrent dans la peau de journalistes écologiques grâce à l'association Jeunes reporters pour l'environnement [77], un programme développé par la Fondation pour l'éducation à l'environnement en Europe. En 2006, près de 12 000 jeunes se sont ainsi investis dans plus de 460 projets de reportages. En 2008, l'année polaire internationale devrait en inspirer au moins autant...

Facs vertes !

En 2004, 59 associations étudiantes ont commencé à se mobiliser dans la lutte contre le réchauffement climatique à travers la campagne Solar Generation [78] initiée par Greenpeace en Allemagne, en Suisse, aux États-Unis, en Chine, en Inde, en France... Expositions, débats, conférences, tenue de stands, affichages... ont tout d'abord animé les campus de 29 villes universitaires. La campagne a trouvé un écho auprès de 200 000 étudiants, soit près de 10 % des étudiants français ! Désormais, les étudiants des « facs vertes » se mobilisent selon deux axes d'action sur leurs campus :

- réduire la facture énergétique du campus ;
- promouvoir l'installation d'énergies renouvelables et/ou opter pour un fournisseur d'électricité verte.

Dix campus pilotes ont été sélectionnés à travers l'Hexagone pour devenir les leaders de la campagne et servir d'exemple à tous les campus français. Une génération à suivre, celle de demain...

75. Sous le haut patronage du ministre de l'Éducation nationale et du ministre de l'Écologie et du Développement durable.
76. Pour en savoir plus ou postuler au prochain éco-Parlement des jeunes : www.ecole-et-nature.org ou téléphonez au 04 67 06 18 78.
77. Jeunes reporters pour l'environnement : www.jeunesreporters.org/ – Tél. : 01 45 49 40 50.
78. Site : www.greenpeace.org/france/solargeneration/.

Vos éco-gestes d'or

À vous de jouer ! Et si vous choisissiez cinq éco-gestes de ce chapitre sur l'école que vous introduirez chaque jour pendant l'année scolaire ?
En fonction de votre personnalité, certains actes vous semblent insurmontables (vos habitudes vous paraissent trop ancrées...), d'autres en revanche vous vont déjà comme un gant !
Vous verrez, lorsque vous aurez pris une décision (et pas seulement une « bonne résolution »), chaque fois que vous la mettrez en pratique, vous vous sentirez lié à la Terre par un fil invisible...

Notez ici les cinq éco-gestes retenus, en signe de votre engagement. Ce peut être l'occasion d'avoir une conversation familiale où chacun choisit les gestes qu'il va introduire dans son quotidien. Une autre façon d'aller, ensemble, vers l'avenir...

P.-S. Si vous vous sentez motivés par plus de cinq éco-gestes, n'hésitez pas !

Je m'engage à :

VOUS : ______________________________

1. ______________________________

2. ______________________________

3. ______________________________

4. ______________________________

5. ______________________________

VOTRE CONJOINT :

1.

2.

3.

4.

5.

LES ENFANTS :

1.

2.

3.

4.

5.

1.

2.

3.

4.

5.

Au bureau : un univers de travail écologique

Si, et c'est heureux, les entreprises sont de plus en plus nombreuses à intégrer les préoccupations d'environnement au sein de leur système de gestion, chaque salarié, à son niveau, peut aussi participer à la préservation de l'environnement en adoptant un comportement économe au bureau. Et ce n'est pas du luxe ! Les bureaux sont parmi les plus gourmands en consommation d'énergie : 180 kWh/m^2 pour le chauffage et 110 kWh/m^2 pour l'électricité (éclairage et bureautique notamment).

Matériel informatique

(Voir aussi les conseils concernant l'informatique à la maison, p. 25.)

• Le choix d'un matériel économe s'impose. Le label Energy Star, qui se met en place en Europe, distingue pour l'instant les ordinateurs les plus sobres.
• De plus en plus d'appareils sont dotés d'économiseurs d'énergie. Vérifiez que l'option « veille » se déclenche rapidement. Elle doit être paramétrée dans les préférences du système.
• Éteignez l'ordinateur ou au moins l'écran lorsque vous ne l'utilisez pas.
• Ne laissez pas l'imprimante, le scanner ou les haut-parleurs allumés en permanence.
• Avec l'arrivée de l'ADSL, beaucoup de personnes sont tentées de laisser leur ordinateur allumé en permanence. Cela coûte très cher en électricité.
• Optez pour l'écran LCD : pour un rythme de travail de 8 heures par jour, un écran à cristaux liquides (LCD) permet de réaliser des économies d'énergie de plus de 100 kWh par an par rapport à un écran à tube cathodique (CRT) de taille similaire.

Les performances d'un ordinateur doublent tous les 18 mois et la fréquence de renouvellement du matériel informatique s'emballe. Pourtant, **rares sont ceux qui ont besoin du dernier cri en matière de performances !** À quoi sert une carte vidéo *nec plus ultra* sur un PC de gestion ? À quoi sert un Pentium IV 2.3 GHz pour faire du traitement de texte ? En France, chaque personne jette 16 kg de déchets d'équipements (électriques et électroniques) par an, soit au total 1,7 million de tonnes. Ce poids augmente de 3 à 5 % chaque année.

Faire circuler !

Un équipement encore en état de marche peut être revendu, donné à un proche ou à une association. Un équipement inutilisable ne doit pas être jeté avec les ordures ménagères. C'est un déchet dangereux qui doit être apporté à la déchetterie. Quelques entreprises commencent (timidement) à proposer la récupération du matériel qu'elles ont vendu, ainsi IBM et SFR proposent tous deux sur leurs sites des sections spéciales recyclage.
De nombreuses ONG, dans les pays du Nord comme du Sud, travaillent sur la réduction de la fracture numérique et récupèrent les vieux ordinateurs pour les retaper et les envoyer en Afrique notamment. En France, des sociétés et des associations

se sont également spécialisées dans la récupération de vieux matériel en vue de le reconditionner puis de le revendre en France ou à l'étranger. On peut citer, par exemple, l'association Co-ordinateur [79], ou encore Emmaüs Informatique à Trappes (Yvelines).

ÉcoMicro est un réseau national où l'ordinateur est minutieusement inspecté, et toutes ses pièces triées, classées suivant leur état. Les appareils hors service ou trop obsolètes sont recyclés, et les appareils et composants présentant encore un intérêt d'utilisation sont réemployés. L'atelier accueille des personnes en situation d'exclusion. Ordinateurs ou composants sont aussi revendus ou donnés aux pays en voie de développement.
ÉcoMicro à Bordeaux : 05 56 86 50 36 ; à Toulouse : 05 34 63 11 11 ;
à Floirac : 05 56 86 66 66. Site Internet : www.ecomicro.fr
À Marseille, voir Micro'orange : 04 91 90 00 90. Site Internet : www.microrange.com

À Paris, MDS Informatique remet en état et à niveau votre vieil ordinateur, en conservant le maximum de pièces pour garder l'appareil plus longtemps, le tout pour un tarif inférieur à l'achat du neuf. Il répare également les anciens ordinateurs qu'il récupère des grandes entreprises dont il entretient le parc informatique, les répartit auprès des associations de quartier ou aux clients du voisinage.
MDS Informatique, 117, rue du Faubourg-Saint-Martin, 75010 Paris.
Tél. : 01 46 07 94 37. E-mail : mdsinformatique@wanadoo.fr

Pour les entreprises, des sociétés comme ATF (www.atf.fr) se spécialisent dans le rachat des parcs informatiques de grands comptes, revendent les matériels et pièces détachées aux professionnels de l'informatique et gèrent le recyclage des résidus de matières.

Voir aussi www.actif-france.asso.fr, qui récupère les parcs informatiques d'entreprises, rénove les ordinateurs et les revend. La remise en état est assurée dans des ateliers de réinsertion. Les établissements collectifs, écoles, associations, et les particuliers peuvent y acheter un ordinateur (portable ou PC) d'occasion garanti un an.

79. Association Co-ordinateur, 82, rue d'Hauteville, 75010 Paris. Tél. : 01 40 02 07 55. Site : www.co-ordinateur.org/.

La gestion du papier [80]

Le papier est trop souvent considéré dans les bureaux comme une ressource illimitée, ne faisant l'objet d'aucune restriction ni d'aucun contrôle. Il constitue 80 % des déchets produits par une administration, et si l'on n'agit pas, la consommation mondiale de papier pourrait croître de 40 % dans les dix prochaines années !

Voici quelques chiffres qui font froid dans le dos, mais qui nous parlent de nous, de tout ce que nous pouvons faire :

• Lexmark a calculé que les entreprises françaises dépensent 400 millions d'euros par an en impressions inutiles (impressions restées à l'imprimante, mauvaises mises en page [81]...). **Une feuille sur six imprimée sur le lieu de travail n'est jamais utilisée,** et 43 % des employés français impriment jusqu'à 50 pages par jour [82].

• On déboise chaque année une surface équivalant à trois fois celle de la Suisse [83].

Treize éco-gestes pour réduire sa consommation de papier

❶ Faites des photocopies recto-verso des documents chaque fois que cela est possible.

❷ Utilisez la touche *éco* du photocopieur.

❸ Si vous utilisez un ordinateur, faites autant que possible vos corrections à l'écran afin d'éviter l'impression d'ébauches multiples.

❹ Impressions-tests : systématisez l'utilisation de papier brouillon pour la relecture et la vérification de la mise en page des documents.

❺ Si un même document doit être lu par plusieurs personnes, imprimez-le à un seul exemplaire et joignez-y une liste de circulation.

❻ Prenez du papier de moindre grammage (80 g suffit largement).

❼ Évitez les impressions couleur. Autant que possible, n'imprimez pas en couleurs un document qui n'en vaut pas la peine. Certains schémas et photos passent très bien en noir et blanc.

❽ Recourez le plus souvent possible au courrier électronique.

❾ « Faisons un geste pour l'environnement : n'imprimons nos mails que si nécessaire. » Intégrez cette phrase à la signature automatique de vos courriers électroniques.

---

80. Pour en savoir plus : www.ecologie.gouv.fr.
81. Source : Étude 2004 Lexmark-Ipsos. Statistiques sur les impressions inutiles.
82. Ipsos Global, avril 2005.
83. Source : *Le Guide du papier*, FUPS, OFEFP et WWF, 2002.

⑩ Réutilisez le côté vierge des papiers usagés (imprimés, brouillons, pièces de courrier interne, erreurs de photocopie, dossiers obsolètes...).
⑪ Utilisez les applications informatiques permettant d'imprimer deux pages ou davantage sur un seul côté de feuille.
⑫ Lorsque l'utilisation de papier est indispensable, privilégiez les solutions à moindres impacts environnementaux : les cahiers et enveloppes NF Environnement et les papiers éco-labellisés.
⑬ Pour vos envois de documents en nombre, mettez régulièrement à jour les listes de diffusion. Radiez de la liste les « non-intéressés » mais aussi les « non-répondants » (principe de la liste positive !).

Penser papier recyclé

En France, la consommation de papier atteint 70 kg par employé de bureau par mois ! Chaque année, en préférant le papier recyclé, on peut épargner 12 arbres, 15 000 litres d'eau, l'équivalent énergétique de 720 litres de pétrole, sans compter une masse considérable de déchets. Alors n'attendez plus : suggérez à votre patron d'acheter du papier recyclé !
Beaucoup de gens croient encore que le papier recyclé produit plus de poussière que le papier blanc et qu'il entraîne des problèmes dans les photocopieuses et les imprimantes. Ce n'est plus le cas : le papier recyclé « nouvelle génération » est arrivé ! On réserve désormais le papier neuf à des documents importants et l'on imprime le reste sur du papier recyclé.

Le papier blanc pèse sur l'environnement

- **Il faut vingt fois moins d'arbres, cent fois moins d'eau et trois fois moins d'énergie pour fabriquer la même quantité de papier recyclé que de papier blanc.**
- **Une tonne de vieux papier permet de fabriquer 900 kg de produits recyclés neufs. En revanche, pour chaque tonne de papier blanc, il faut abattre 3 m² de forêt.**

Organiser un programme de recyclage

Récupérez, par exemple, les impressions erronées de documents informatiques (ou tout autre document « non confidentiel ») sur votre lieu de travail pour les donner aux écoles et centres de loisirs, en installant un carton près de l'imprimante. Le nombre de feuilles récupérées peut être impressionnant ! Comment s'y prendre ?

Rien de plus simple :
- désignez des lieux de collecte du papier ;
- fournissez des boîtes ;
- montrez à vos collègues où sont les lieux de collecte ;
- prenez les dispositions nécessaires pour qu'une entreprise spécialisée en recyclage ramasse le papier.

Divers

Quid des cartouches d'encre des imprimantes ?

Une fois vos cartouches d'encre épuisées, ne les jetez pas à la poubelle, elles peuvent être reconditionnées. Après avoir été collectées, elles sont démontées, nettoyées, et les pièces usées sont remplacées. La cartouche est alors remplie à nouveau d'encre et remise en vente, avec les mêmes performances qu'un produit neuf. Normalement, votre entreprise doit mettre à votre disposition des bacs de récupération. Vous pouvez aussi acheter des cartouches rechargeables : c'est deux fois moins cher et infiniment moins polluant. Un réflexe pour le bureau et la maison.

L'ASAH (Association au service de l'action humanitaire) et la société EMAPE mettent leurs efforts en commun pour l'opération Cartouches solidaires[84]. Les cartouches collectées sont enlevées gratuitement et recyclées au profit de projets développés par des associations de solidarité.

De la pause-café au déjeuner sur le pouce...

Évitez les couverts et récipients jetables : si vous grignotez régulièrement au bureau à midi, pourquoi ne pas apporter des couverts plutôt que de les renouveler à chaque repas ? De même, évitez les gobelets fournis près des fontaines à eau. Plutôt que d'utiliser chaque fois un verre jetable pour quelques gorgées (eau, café, thé), pourquoi ne pas apporter de la maison un verre ou une vraie tasse ? C'est tout de même mieux que d'utiliser une dizaine de gobelets en plastique par jour ! Et sachez que laisser une machine à expresso allumée toute la journée consomme autant d'énergie que lui faire produire douze tasses de café.

84. Pour les contacter : ASAH, ZAC du Petit-Parc, 13, rue des Fontenelles, 78920 Ecquevilly. Tél. : 0 871 091 871. Site Internet : www.collectif-asah.org/.

Vos éco-gestes d'or

À vous de jouer ! Et si vous changiez votre quotidien ? Et si vous choisissiez cinq éco-gestes de ce chapitre sur la vie de bureau pour les introduire sur votre lieu de travail ? En fonction de votre personnalité, certains actes vous semblent insurmontables (vos habitudes vous paraissent trop ancrées…), d'autres en revanche vous vont déjà comme un gant !
Vous verrez, lorsque vous aurez pris une décision (et pas seulement une « bonne résolution »), chaque fois que vous la mettrez en pratique, vous vous sentirez lié à la Terre par un fil invisible…

Notez ici les cinq éco-gestes retenus, en signe de votre engagement. Ce peut être l'occasion d'avoir une conversation familiale où chacun choisit les gestes qu'il va introduire dans son quotidien. Une autre façon d'aller, ensemble, vers l'avenir…

P.-S. Si vous vous sentez motivés par plus de cinq éco-gestes, n'hésitez pas !

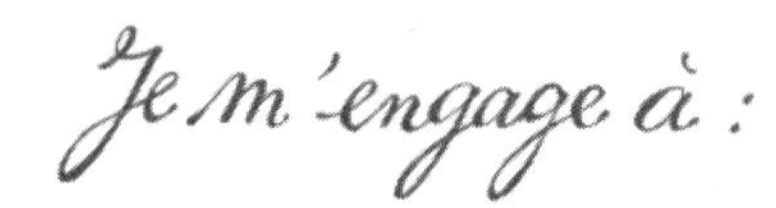

VOUS : ______________________

1. ______________________

2. ______________________

3. ______________________

4. ______________________

5. ______________________

VOTRE CONJOINT :

1.

2.

3.

4.

5.

LES ENFANTS :

1.

2.

3.

4.

5.

1.

2.

3.

4.

5.

Le moindre coin de verdure sur notre planète contribue à purifier l'air, à augmenter l'apport en oxygène, à prévenir l'érosion et à améliorer notre qualité de vie. Raison de plus pour le bichonner ! Pourtant, à part ne pas abuser des pesticides dans son jardin, éviter l'usage systématique de la voiture et ne pas jeter sacs en plastique et mégots dans la nature, on a spontanément moins d'idées que pour la maison... J'en connais même qui ont presque la conscience tranquille. Comme si, dès que nous mettons le nez dehors, nous redevenions des innocents qui ne consomment plus, qui n'ont pas besoin de confort et qui vivent d'air pur et d'eau fraîche ! Allons demander à l'atmosphère, aux oiseaux, aux arbres, aux vaches près de l'autoroute, à la mer et à ses habitants...

Quand vous allez en baie de Somme, vous prenez votre vélo et vous vous contentez de regarder les ébats des phoques dans l'eau ? Quand vous êtes en Corse en bateau, vous naviguez à la voile, vous nourrissant du produit de votre pêche et vivez comme des Robinsons ? Quand vous êtes en montagne, vous vous chauffez au bois et vous nourrissez de salade de pissenlit ? Quid des gaz de voitures sur les prés destinés aux pâturages ? du liquide vaisselle sur le yacht ? du remonte-pente pour le ski et du carton des « cubi » de vins rosé de Provence en pique-nique ?

Nos vacances sont « perso ». Comme nos vêtements, notre maison, notre déco, notre mari ou épouse, notre jardin ! Il nous faut remettre de l'altérité, de la douceur, de la générosité, de la gratuité et de la pureté dans toutes nos intentions !

À L'EXTÉRIEUR

« N'oubliez pas que la terre se réjouit
de sentir vos pieds nus et que les vents
joueraient volontiers avec vos cheveux. »

Khalil Gibran

Au jardin

« *Pour faire un jardin, il faut un morceau de terre et l'éternité.* »
Gilles Clément

« *Le bout du monde et le fond du jardin*
contiennent la même quantité de merveilles. »
Christian Bobin

« *Si tu veux être heureux une heure, bois un verre ;*
si tu veux être heureux un jour, marie-toi ;
si tu veux être heureux toute ta vie, fais-toi jardinier. »
Proverbe chinois

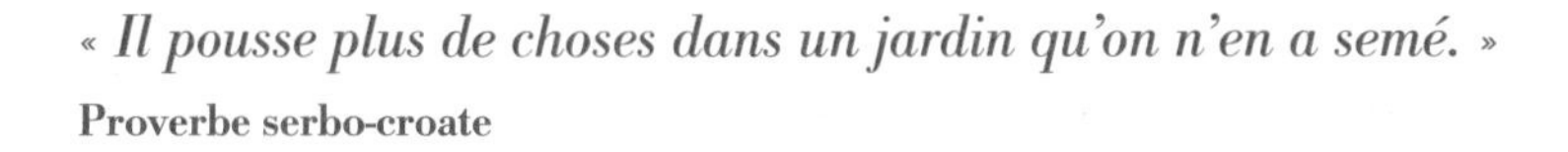

« *Il pousse plus de choses dans un jardin qu'on n'en a semé.* »
Proverbe serbo-croate

Les jardiniers particuliers sont au nombre de 13 millions en France. Avec une consommation de 8 000 tonnes de produits phytosanitaires par an, ils seraient responsables d'un quart de la pollution des nappes souterraines et des eaux de surface. Sans oublier cette eau potable utilisée pour arroser et qui ne tombe pas du ciel... Ce petit coin de paradis mérite mieux.

L'arrosage : économiser l'or bleu [85]

Et si l'on arrosait moins et mieux ? Pour arroser les plantes du jardin, du balcon ou la pelouse, est-il vraiment nécessaire de faire couler les grandes eaux ? N'oublions pas que l'arrosage peut représenter la moitié de la consommation d'eau ! Arroser au pied des plantes le soir, biner régulièrement, pailler le sol ou encore choisir des plantes résistantes à la sécheresse sont autant de moyens pour économiser l'eau au jardin... Voici quelques trucs tout simples à savoir.

85. Une grande partie des conseils donnés ici émanent du site www.notre-planete.info.

Sept éco-gestes

❶ Pour arroser le jardin, comptez 15 à 20 litres par mètre carré. Pas plus. Et n'allez pas chercher de l'eau potable alors qu'il existe une ressource abondante et facilement récupérable : la pluie [86] ! En plus, contrairement à l'eau du réseau, elle n'est ni calcaire, ni chlorée, ni trop froide. Et gratuite... Une surface de toit de 100 m^2 en reçoit par an 65 m^3 à Paris, 75 m^3 à Brest et 80 m^3 à Nice. En récupérant et en stockant une partie de cette eau pour la réutiliser au bon moment, on fait de sérieuses économies. Il suffit d'installer un arrosoir, un bidon ou un bac en plastique en bas des gouttières.

❷ Souvenez-vous du célèbre dicton « un binage vaut deux arrosages »... En été, biner aère la terre et brise les petites crevasses formées dans le sol desséché par lesquelles l'eau s'évapore. La terre conserve alors mieux son humidité, ce qui permet d'espacer les arrosages et de les rendre plus efficaces.

❸ En été, arrosez dans la soirée. En effet, lorsque les températures sont plus fraîches, l'évaporation trop rapide de l'eau est minimisée. Plates-bandes et potagers auront toute la nuit pour se désaltérer...

❹ Si en plus vous arrosez seulement au pied des plantes, vous serez le maître de l'arrosage économique !

❺ Plantez des espèces résistant à la sécheresse, notamment celles adaptées au climat méditerranéen (cactées, laurier-rose, immortelle, achillée, valériane rouge, tasconias, pourpier, verveine, aubriète, ciste, scabieuse de Crète...). De même, les figuiers et la vigne résistent très bien au manque d'eau. Pensez également aux plantes de sol sableux et sec comme les bruyères. Au rayon des vivaces, retenez l'armoise, l'agapanthe, le lierre, l'acanthe et les graminées.

❻ Privilégiez les arrosages localisés. Optez pour un tuyau microporeux ou pour un système de goutte-à-goutte (4 litres par heure au lieu de 12 litres par minute, soit 180 fois moins !), beaucoup plus efficace qu'un arrosage en pluie. Ne le faites pas fonctionner plus de trois fois par semaine. Si vous n'avez pas beaucoup de plantes, préférez le bon vieil arrosoir : il permet de doser les apports et de les localiser.

❼ En automne, arrosez le matin afin d'éviter le gel de la nuit.

Astuce : recouvrez le sol au pied des plantes, des arbres et des arbustes d'une couche d'herbe coupée ou de copeaux de bois pour absorber l'eau et conserver l'humidité. Oubliez les écorces de pin qui ont tendance à acidifier la terre.

86. Lire *Les Jardins et la Pluie*, d'Andy Clayden, Éd. du Rouergue.

⁘ Quid de la pelouse ?

Quand et comment tondre ?

Acceptez que votre pelouse jaunisse l'été. Elle reverdira à l'automne avec les pluies. Tondez-la peu souvent pour la rendre plus résistante en cas de sécheresse...
La coupe est un peu plus difficile lorsque l'herbe est trop haute. Mais ne la tondez pas non plus trop rase (**entre 6,5 et 7,5 cm du sol** car, haute, elle retient mieux l'humidité). **Laissez le gazon coupé au sol,** après avoir tondu la pelouse. Cette herbe se recyclera d'elle-même en donnant de l'azote dont la pelouse profitera. De plus, les insectes nuisibles ne s'y développeront pas.
Attendez que les pointes d'herbe prennent une teinte noire (l'herbe ne brûle que lorsqu'elle commence à roussir).
En général, un bon arrosage de la pelouse tous les trois ou cinq jours est préférable à un faible arrosage quotidien. Pensez aussi aux trèfles : ils emmagasinent l'eau, c'est vert tout le temps et ça porte bonheur !

Quelle tondeuse choisir ?

Entre la tondeuse à gazon électrique et la tondeuse à essence, il n'y a pas d'ambiguïté. Bannissez la seconde, plus nocive pour l'environnement : sa consommation est élevée et elle fait beaucoup de bruit. De plus, elle rejette une fumée bleue si le moteur est mal entretenu. La tondeuse électrique fait davantage de bruit, mais ne dégage aucun gaz à effet de serre. Enfin, elle consomme peu d'électricité.
Le mieux est encore d'utiliser une tondeuse à main, sans électricité ni carburant. Ses avantages sont nombreux : aucune dépense d'énergie et donc pas de pollution – c'est à nous qu'elle demande un peu d'efforts (nous manquons d'exercice) –, les herbes coupées forment un tapis dans le jardin qui protège et favorise les pousses suivantes, il n'y a pas de bac plein d'herbe à vider dans la poubelle des déchets « verts », peu de bruit, maniable... Bref, elle a tout pour elle !

Les produits d'entretien : jardiner au naturel

De grâce, limitez l'emploi d'engrais, désherbants, pesticides (insecticides, herbicides, fongicides) ! Il vaut mieux avoir quelques herbes folles, quelques feuilles jaunies, quelques fruits tavelés, mais jouir d'un jardin riche de toute sa biodiversité... En France, **90 % des jardiniers surdosent les pesticides.** Ces derniers sont responsables de la pollution des eaux de surface et des nappes souterraines ! Sans compter que depuis les années 1950, le nombre d'espèces d'insectes et de mites capables de résister aux insecticides est passé d'une dizaine à quelque 450.

Commencez par vous renseigner sur la nocivité potentielle des insectes visés : certaines espèces sont présentes en grande quantité, mais ne représentent aucun risque pour votre jardin. Par ailleurs, sachez qu'il est possible de se passer ou de limiter sa consommation de pesticides [87], notamment en respectant les doses, en utilisant des produits bio et en évitant de choisir des produits étiquetés N (dangereux pour l'environnement). Enfin, il est bon de savoir que, très souvent, trop d'engrais chimiques fragilisent la plante [88] !

Quand on le sait, on ne peut plus l'oublier !

- **L'eau bouillante (à raison de 2 litres pour 4 m²) est aussi efficace qu'un désherbant chimique !**
- **Préférez des engrais naturels : les orties, les algues, le compost (nourriture, branchages, herbe de tonte...).**
- **Si vous désherbez, faites-le à la main !**

S'il faut recourir à des pesticides [89]

- Conservez les pesticides dans leur emballage d'origine et suivez à la lettre le mode d'emploi inscrit sur l'étiquette.
- Rangez-les dans des contenants étanches, dans un endroit bien aéré, de préférence fermé à clé et hors de la portée des enfants et des animaux domestiques.
- N'utilisez que les quantités indiquées sur l'étiquette et seulement sur les plantes et aux endroits recommandés.

87. La CLCV édite un guide intitulé *Les Pesticides, comment s'en passer ou comment bien les utiliser.* Pour recevoir cette brochure, envoyez 1 euro en timbres postaux à : CLCV, 17, rue Monsieur, 75007 Paris.
88. À lire : O. Schmidt et S. Hengeller, *Ravageurs et maladies au jardin. Les solutions naturelles*, Terre vivante.
89. Source : www.planetecologie.org/.

• N'utilisez pas de pesticides dangereux près des puits, des ruisseaux, des étangs ou des marais, à moins que l'étiquette ne précise que vous pouvez le faire en toute sécurité.
• Ne vaporisez jamais de pesticides sur le sol nu ou les endroits érodés, pour éviter que la pluie ne les charrie vers les ruisseaux, les rivières, les lacs ou autres cours d'eau.
• En général, il ne faut pas utiliser de pesticides s'il y a risque de pluie.

Des alternatives naturelles [90]

Résistez ! Adieu, engrais, pesticides ou insecticides chimiques !
• Plantez les oignons un peu partout dans le potager et non en rangs, pour empêcher le ver de racine de se propager d'un plant à l'autre.
• Sarclez votre potager régulièrement pour détruire les mauvaises herbes. Vos plants seront ainsi plus forts.
• Débarrassez votre jardin des vieux sacs ou paniers, des légumes en décomposition et des autres déchets qui peuvent abriter des insectes. Les vieux pneus sont des endroits propices à la reproduction des moustiques.
• Planifiez la plantation et la récolte de façon à éviter les périodes où les insectes prolifèrent et sont les plus nuisibles.
• Plantez des œillets d'Inde, des chrysanthèmes, de la ciboulette, des dahlias, des oignons, de l'ail, du basilic, de la sarriette, du raifort, de la menthe, du thym et autres plantes semblables dans votre jardin et dans votre potager. Leur odeur et les sécrétions de leurs racines éloignent certaines espèces d'insectes.
• Pour protéger les tomates, les pois, les choux et les haricots contre l'agrotis (ver gris), ouvrez des boîtes de conserve aux deux extrémités et enfoncez-les dans la terre autour des semis. Ou encore, entourez le pied des plants de papier d'aluminium.
• Les feuilles de thé et de tisane déjà infusées sont fort appréciées des plantes, qui y puisent des composants essentiels à leur bien-être, et remplacent avantageusement les engrais chimiques.

À chaque insecte sa solution verte

• Pour vous débarrasser des limaces, placez des planches près de vos plants. Il vous suffira de les soulever pour détruire les limaces qui s'y abritent des rayons du

90. Sources : www.planetecologie.org/ et www.consoglobe.com.

soleil. Les limaces et les escargots ne peuvent franchir le sable, la sciure, le marc de café ou la cendre ; vous pouvez également en disposer autour de vos plantes pour les en éloigner. Si ça ne suffit pas, posez des coupelles remplies de bière et d'un peu d'eau : elles en sont friandes et s'y noieront.

• Contre les fourmis, utilisez un morceau de citron que vous aurez laissé moisir quelques jours et qui les dégoûtera ou encore du marc de café qui les empoisonnera.

• Contre les pucerons : les coccinelles sont des prédateurs de pucerons (elles peuvent en dévorer 150 par jour !). Les pucerons sont également repoussés par des plants de sauge officinale ou de capucine et par la pulvérisation de purin d'ortie (qui sert aussi d'engrais). Vous pouvez également utiliser une solution de savon noir (une cuillerée de savon pour 2 litres d'eau).

• Utilisez d'inoffensifs savons insecticides pour déloger ou asphyxier les insectes.

• Favorisez la lutte biologique. De nombreux organismes sont en vente pour lutter contre les parasites :

---> contre les aleurodes, acariens, pucerons, thrips : l'hémiptère *Macrolophus caliginosus* ;

---> contre les otiorhynques : des nématodes ;

---> contre beaucoup d'insectes : *Bacillus thuringiensis* ;

---> contre les moustiques : le géranium ;

---> contre les doryphores : le souci.

Favoriser la biodiversité locale

Préserver la biodiversité en conservant ou en plantant le plus d'espèces possible, accroître à la fois la résistance, l'intérêt et la beauté d'un jardin [91]...

Associez les cultures dans votre jardin afin qu'elles bénéficient les unes des autres (exemples : les carottes repoussent la mouche de l'oignon et les oignons celle de la carotte, le basilic et le persil défendent la tomate, le poireau éloigne la mouche de la carotte, les géraniums protègent les rosiers). En plus, les fleurs et les plantes aromatiques (romarin, lavande, thym, ciboulette...) font le bonheur des insectes pollinisateurs.

Effectuez une rotation annuelle des fleurs et des légumes dans votre jardin et votre potager ou, du moins, alternez les cultures d'une année à l'autre pour empêcher les maladies et les insectes ou autres arthropodes de se fixer dans le sol.

91. À lire : B. Fady et F. Médail, *Peut-on préserver la biodiversité ?*, Éd. Le Pommier, 2006.

Plantez des arbustes pour créer des buissons et des haies où les oiseaux, insectes et petits mammifères pourront s'abriter, nicher et trouver une nourriture diversifiée : les oiseaux mangeront les chenilles, limaces et insectes ; les musaraignes, inoffensives pour nous, dévoreront taupins, courtilières et larves de hanneton ; les hérissons mangeront même les serpents ! Sans compter que les haies font de l'ombre et limitent l'évaporation : parfait pour éviter le gaspillage d'eau !
Préférez des espèces locales comme le charme, le noisetier, le houx, le prunellier, le pommier sauvage, l'alisier torminal, le sorbier, le troène des bois, le cerisier Sainte-Lucie, le sureau noir ou l'églantier, plutôt que le thuya. Outre un bon couvert végétal, la diversité de ces espèces assure des fleurs et des fruits durant une longue période.
Utilisez des graines d'espèces végétales de votre région. Naturellement adaptées à leur milieu, les plantes locales poussent mieux et sont plus résistantes aux maladies. Sachez que l'introduction de plantes exotiques est souvent à l'origine de la disparition d'espèces locales.

Volez au secours des oiseaux ! Ne supprimez pas les lieux où ils nichent. Pour la construction de leurs nids, les oiseaux recherchent les cavités, interstices et arbres morts. Ils apprécieront également les nichoirs et abreuvoirs que vous aurez disposés.

En hiver, donnez-leur des boules de graisse (beurre, margarine) mélangée à des graines. Cela leur permettra d'affronter les coups de froid les plus rudes.
En revanche, évitez de les nourrir dès le début du printemps : au-delà des mois de janvier et février, qui sont les plus rudes, la nature reprend ses droits et leur offre une nourriture abondante. Il n'est donc plus utile de les nourrir, au risque de perturber la chaîne alimentaire.
Les pigeons sont en concurrence avec d'autres oiseaux comme les moineaux ou les mésanges. Nourrissez donc en priorité les autres espèces d'oiseaux afin de favoriser le rééquilibrage naturel entre elles.

Aménagez une petite mare. C'est l'habitat idéal pour les grenouilles, crapauds, tritons et poissons qui se chargeront de chasser à votre place les animaux nuisibles, comme les moustiques et autres insectes dérangeants. Cela attire également les oiseaux.

Pour attirer les papillons, plantez des buddleias (de préférence bleus ou violets), de la lavande, des œillets, des eupatoires, de l'onagre, du chèvrefeuille, des sédums (de préférence rouges), des agapanthes et des phlox paniculés.

Si vous êtes propriétaire de votre maison

- Limitez les surfaces de terrasse. La construction de sols artificiels empêche la pénétration de l'eau et tasse les terrains. Réduire l'artificialisation préserve la richesse biologique des sols.
- Végétalisez la toiture de votre garage. En la couvrant de plantes à faibles racines, vous pouvez l'isoler de manière durable, tout en attirant les abeilles, les papillons et les autres insectes.

Le compostage : les déchets bons pour le jardin [92]

« *Une mauvaise herbe est une plante dont on n'a pas trouvé les vertus.* »

R. W. Emerson

Où trouver le meilleur engrais pour son jardin ? Dans sa poubelle et dans les déchets du jardin ! En prenant quelques précautions simples, on peut composter tous les déchets organiques (alimentaires et végétaux) : déchets de cuisine, déchets de jardin, papier, cendres, sciure... C'est un processus naturel qui n'est pas réservé aux seuls jardiniers avertis : en adoptant jour après jour le réflexe compostage, vous observerez le cycle naturel de la vie végétative, vous ferez plaisir à votre jardin et vous pourrez recycler jusqu'à un tiers de vos déchets. On commence tout de suite ?

Sachez qu'il y a autant de méthodes pour composter que de jardiniers composteurs... Schématiquement, il s'agit d'équilibrer les déchets « bruns et secs » (feuilles mortes, paille, herbes sèches, branchages broyés...) et les déchets « verts et humides » (fruits, légumes, fleurs fanées, tontes de pelouse...) en laissant le milieu humide et en veillant à ce que l'air puisse y circuler. Un bon principe est de ne pas mettre trop souvent la même chose ni en trop grosse quantité. En fonction de vos apports et suivant les couches du compost, différentes formes de vie vont prospérer et se succéder.

92. Une grande partie des informations données ici provient de l'ADEME.

Le processus du compostage

Les matières en compostage sont transformées, en présence d'oxygène et d'eau, par des micro-organismes (bactéries, champignons, actinomycètes) et des organismes de plus grande taille (lombrics, acariens, cloportes, myriapodes, coléoptères et autres insectes). Les déchets perdent leur aspect d'origine et deviennent compost. Ce produit va contribuer, dans le sol, à renforcer le stock d'humus et à améliorer sa fertilité.

Un compost à maturité peut avoir de nombreux effets bénéfiques sur le sol et les végétaux. Il peut être utilisé de deux manières différentes :

- Comme amendement organique : il augmente le taux de matière organique dans le sol et améliore la capacité de rétention d'eau et la porosité du sol tout en en contrôlant l'érosion.
- Comme support de culture : il contribue à la croissance des plantes et les aide à développer un bon système racinaire. Il est souhaitable de préparer un terreau en mélangeant de la terre avec votre compost. En effet, il faut absolument éviter de semer ou de planter directement dans le compost. Si certaines plantes comme les tomates ou les potirons peuvent s'en accommoder, la majorité des plantes ne le supporte pas.

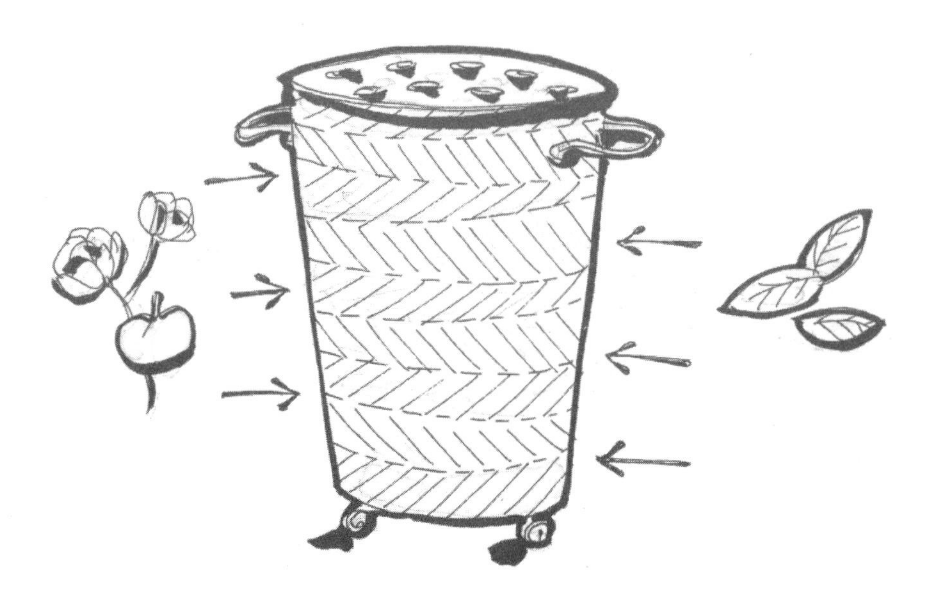

···⁘ Que composter ?

Le compost commence par la récupération des déchets naturels de la maison ou du jardin.

Matières organiques compostables : céréales, fruits et légumes, épluchures, tontes de pelouse, gazon séché, graines/marc de café, filtres à café non blanchis, sachets de thé, mousse de sécheuse, cheveux, plantes de jardin, feuilles mortes, fleurs fanées, cendres refroidies, balayures, foin, paille, mauvaises herbes (non montées en graines), résidus d'émondage, sciure de bois (petite quantité), mouchoirs en papier, essuie-tout, papier journal (attention à l'encre d'imprimerie).

Certains déchets se dégradent plus difficilement et demandent quelques précautions :

- Les déchets très ligneux ou durs : tailles, branches, os, noyaux, coquilles, trognons de chou..., qu'il vaut mieux broyer auparavant.
- Les graines de certaines plantes (tomates, potirons et quelques mauvaises herbes) qui se maintiennent en vie lors du compostage et qui peuvent regermer.
- La viande peut être compostée si on la met hors d'atteinte des animaux et qu'on la place en petits morceaux au centre du tas (surtout pas en surface).
- Les coquillages et les coquilles d'œufs ne se décomposent pas. Mais leur usure apporte des éléments minéraux tandis que leur structure facilite l'aération.

Les déchets à ne pas composter : plastiques et tissus synthétiques (Nylon...), verre et métaux ne se dégradent pas. Il faut absolument les écarter pour obtenir un compost de qualité. On évitera aussi le contenu des sacs d'aspirateur, les poussières étant principalement d'origine synthétique ; les bois de menuiseries et de charpente, car presque toujours traités chimiquement, vernis ou peints ; la litière pour chat non biodégradable et les couches-culottes qui ne sont pas entièrement biodégradables. On évite aussi les noix (mettez-les au feu), les arêtes de poisson, les graisses, les écorces d'agrumes, le sable, la terre.
D'une façon générale, aucun produit chimique, huile de vidange, etc., ne doit être mélangé au compost.

Les outils de compostage

Les outils et équipements habituels du jardinier suffisent à pratiquer le compostage domestique :

- **une poubelle ou un seau, pour sélectionner les déchets de cuisine ou autres déchets organiques ;**
- **une fourche, pour brasser le compost ;**
- **une brouette, pour transporter les déchets ou le compost ;**
- **une serpe, une hache, une cisaille ou un sécateur, pour réduire en petits morceaux les branches ou briser les déchets durs, voire un broyeur si la quantité à traiter le justifie ;**
- **un grillage fixé sur un cadre, pour tamiser le compost mûr.**

Trouver un lieu

Une fois les déchets triés, il vous faut une place pour que le processus de compostage puisse se dérouler. Il y a deux façons de s'y prendre :

- Faire un tas de compost. C'est la façon la plus souple de procéder. Il faut avoir la place nécessaire, si possible hors de vue du voisinage. Le tas est facile à faire et à surveiller : les déchets sont visibles et accessibles. Mais il est à la merci des animaux (chiens, chats, rongeurs) et exposé au vent, à la pluie, à la sécheresse. Le compostage y est assez lent.
- Acheter un composteur fermé. Il en existe en bois, en métal ou en plastique. Fiez-vous en particulier à ceux qui portent l'éco-label officiel « NF Environnement ». Un composteur est adapté aux petits jardins, et demande plus de soin qu'un compost en tas pour éviter les dégâts de type sécheresse ou pourrissement. Le compostage y est rapide.

Connaître et respecter quatre règles d'or

La transformation des matières organiques se fait naturellement. Mais pour produire un bon compost, il est nécessaire de respecter quatre règles simples :

1 Mélanger les différentes catégories de déchets

Pour faire un bon compostage, il faut mélanger des catégories opposées : les carbonés avec les azotés, les humides avec les secs, les grossiers avec les fins.
Pour réaliser ces mélanges, vous pouvez soit brasser les déchets dès le départ, soit les disposer en couches minces alternées si c'est possible.

❷ Aérer les matières

Au cours du compostage, les micro-organismes ont besoin d'oxygène. Si l'air ne circule pas dans la masse en compostage, ils s'asphyxient et sont remplacés par d'autres produisant du méthane, puissant gaz à effet de serre, et des gaz malodorants.

Deux solutions sont à mettre en œuvre :

- Introduire dans le mélange en compostage des matières grossières qui permettent une aération passive permanente des déchets.
- Brasser régulièrement (notamment au début du compostage, lorsque l'activité des micro-organismes est la plus forte, puis tous les un à deux mois). Pas d'inquiétude, c'est facile : une fourche et quelques minutes suffisent ! Le brassage permet non seulement de décompacter le tas et de l'aérer, mais aussi d'assurer une transformation régulière. Un compost bien aéré ne sent pas mauvais.

❸ Surveiller l'humidité

Le compost doit être humide (comme une éponge pressée), mais sans excès. Trop d'humidité empêche l'aération, ce qui a pour conséquence de freiner le processus de compostage et de dégager des odeurs désagréables. S'il y a, à l'inverse, manque d'humidité, les déchets deviennent secs, les micro-organismes meurent et le processus s'arrête.

Pour vérifier la bonne teneur en eau, il suffit de prendre une poignée de matière et de la presser. L'humidité est idéale si quelques gouttes perlent au bout des doigts (ce test n'est valable qu'après plusieurs mois de compostage).

Si le compost est trop sec, il suffit de l'arroser. L'assécher quand il est trop humide est un peu plus délicat. On peut l'étaler quelques heures au soleil ou encore y incorporer des déchets bruns et secs.

❹ Rendre visite à son compost

Bien surveiller son compost est le secret de la réussite. L'apport de déchets frais est une bonne occasion d'examiner les produits en compostage. Une observation un peu attentive permettra de déceler un excès ou un déficit d'humidité, des zones mal décomposées, des odeurs...

À partir de là, les interventions sont faciles et prennent en général peu de temps.

Astuce : un signe que votre compost se porte bien ? Il héberge de nombreux habitants tels que cloportes, vers de terre, myriapodes.

Le paillage

Le paillage permet de protéger le sol contre le développement des mauvaises herbes autour des plantes ou des arbres et des arbustes. Il retient l'humidité du sol pendant la période estivale et, l'hiver, protège des fortes gelées. Le paillage organique est intéressant car il se décompose lentement et apporte des matières utiles aux plantes et aux vers de terre.
Vous pouvez disposer votre compost avant maturité en paillage sur la terre, au pied des arbres ou sur des cultures déjà avancées. Mais vous devrez attendre plusieurs semaines voire plusieurs mois avant de l'incorporer au sol car, immature, un compost peut nuire aux jeunes plants.
Le paillage permet de limiter les arrosages, en diminuant l'évaporation de la terre, tout en apportant de la matière organique à dégradation lente au sol. Cette couche peut en plus servir de gîte à de nombreux vers et insectes utiles au jardin. Enfin, en hiver, le paillage participera à la protection de vos plants contre le gel.

Comment savoir que son compost est mûr ?

Le processus de compostage individuel peut prendre de deux mois à deux ans selon les déchets utilisés, le nombre de retournements, les conditions climatiques et les efforts fournis. Comment savoir que votre compost est mûr ? Un compost mûr se caractérise par un aspect homogène, une couleur sombre, une agréable odeur de terre de forêt et une structure grumeleuse qui s'émiette. Sa texture est fine et friable. Dans un compost mûr, vous n'arrivez plus à identifier les déchets de départ, à l'exception des déchets qui ne se décomposent pas (coquillages et coquilles d'œufs entre autres) ou difficilement (trognons de chou, morceaux de bois...). Vous pourrez alors faire suivre à ces déchets récalcitrants un nouveau cycle de compostage.

Quand on le sait, on ne peut plus l'oublier !

Vous pouvez tester votre compost en en remplissant des petits pots où vous sèmerez du cresson. Si le cresson ne germe pas, ou mal, le compost n'est pas mûr.

Astuces

- **En automne, n'oubliez pas d'amasser une réserve de feuilles et de petit bois mort et de la stocker au sec.**
- **En hiver, le démarrage d'un compost est plus lent.**
- **En été, recouvrez votre compost d'une fine couche de déchets bruns de manière à ne pas attirer les « intrus » (petits rongeurs, mouches...).**
- **N'ajoutez pas de terre, cela risque de freiner le processus de décomposition.**

···❖ Comment utiliser son compost ?

Au potager

Le compost s'utilise au potager de différentes façons :

• à l'automne ou en fin d'hiver, en surface, avec un léger griffage pour l'incorporer à la terre ;

• au printemps, entre les rangs de légumes, avant de pailler par-dessus ;

• toute l'année, dans les trous de plantation en recouvrant d'une fine couche de terre, afin que les graines ne soient pas en contact direct mais que les racines, en se développant, trouvent des nutriments du compost.

Quelles quantités ? Cela dépend des besoins des plantes en éléments nutritifs :

• Les plantes à forts besoins peuvent supporter de 3 à 5 kg/m^2 par an. Il s'agit des artichauts, du céleri et du poireau, des cucurbitacées (concombres, cornichons, courges, courgettes, melons...), des solanacées (aubergines, poivrons, pommes de terre, tomates...), ainsi que du maïs.

• Les plantes aux besoins moyens peuvent se contenter de 1 à 3 kg/m^2 par an de compost. Il s'agit des légumes comme les asperges, les betteraves, les carottes, les épinards, les haricots, la laitue, le persil ou les petits pois.

• Les plantes à faibles besoins peuvent se passer d'apports de compost. C'est le cas de l'ail, des échalotes et des oignons, des choux, de la mâche et du cresson, des endives, des fèves, des navets et des radis, ainsi que des plantes aromatiques.

Le compost peut être utilisé également en paillage de deux centimètres d'épaisseur, à étendre entre les rangs des légumes dont on consomme les fruits (tomates, concombres, poivrons...).

Pour les arbres fruitiers

Pour entretenir les espèces fruitières, vous répartirez chaque année sous la couronne de feuilles une couche d'environ un centimètre d'épaisseur de compost, soit 3 à 5 kg/m² pour les arbres et 2 à 3 kg/m² pour les arbustes. Vous pouvez recouvrir le tout de paille.

À l'occasion de la plantation d'arbres ou de buissons fruitiers, vous mélangerez directement 20 % de compost dans le trou de plantation (une part de compost pour quatre parts de terreau).

Au jardin d'agrément

Pour votre pelouse, lors de l'installation, vous répartirez 8 à 10 kg/m² de compost en les incorporant aux dix premiers centimètres de terre avant de semer. En entretien, chaque début de printemps, vous disperserez 1 à 2 kg/m² de compost, tamisé au préalable assez finement afin qu'il se répartisse bien entre les brins d'herbe.

Le tamisage

Le tamisage permet d'affiner le compost et de l'utiliser plus facilement. Un simple grillage posé sur un cadre de bois peut faire l'affaire. Il permet d'éliminer les éléments grossiers qui n'ont pas été complètement transformés.

Comment procéder ? À l'aide d'une pelle, projetez le compost sur le cadre grillagé que vous aurez pris soin de poser contre un mur pour le stabiliser. Vous pouvez utiliser aussi un tamis à main.

Que faire des refus de tamisage ? Vous pouvez les utiliser en paillage ou encore les recycler dans le tas ou le composteur. Ils aident à démarrer le compostage et à améliorer le rapport carbone/azote.

Pour un terrain de végétation générale, pour des haies arbustives par exemple, vous répartirez, lors de l'installation, 8 à 10 kg/m² de compost en les incorporant sur quinze centimètres de profondeur. En entretien, un amendement tous les deux ans suffit : vous répartirez 2 à 3 kg/m² de compost entre la végétation et binerez légèrement.

Pour vos massifs floraux, vous préparerez le sol, lors de l'installation d'un parterre, en effectuant un bon bêchage au cours duquel vous incorporerez 5 à 8 kg/m² de compost sur les quinze premiers centimètres. Lors des plantations, vous pouvez aussi mettre votre compost dans les trous, en le mélangeant avec la terre.

Si vous semez vos plantes, qu'elles soient vivaces ou annuelles, vous pouvez le faire sur sol préparé. Vous effectuerez plus tard un paillage de deux centimètres maximum, afin de limiter la levée des mauvaises herbes et de maintenir l'humidité du sol.

En entretien de vos massifs de vivaces, vous pouvez amender :
• soit en automne, en étendant une couche de deux centimètres environ de compost bien mûr au pied des plants, ce qui protégera également les souches des grands froids ;
• soit au printemps (en mars-avril pour les vivaces, en juin pour les annuelles), en incorporant 3 à 5 kg/m² de compost avec un léger griffage en surface pour le mélanger à la terre.

En jardinières

Pour la création de nouvelles jardinières, un bon mélange est constitué d'un tiers de compost, un tiers de terre et un tiers de sable. Si vous réutilisez des jardinières de l'année précédente, vous ajouterez 20 % maximum de compost à la masse de l'ancienne terre. Vous pouvez utiliser le compost de la même façon pour vos plantes d'intérieur.

À savoir :
Même si vous n'utilisez pas le compost, vous pourrez constater une baisse importante de vos déchets ménagers (surtout si vous achetez des légumes verts et des fruits) : c'est donc une bonne politique de recyclage.

Pour aller plus loin

• Denis Pépin, *Compost et paillage au jardin. Recycler, fertiliser,* Terre vivante, 2003.
• Nathalie Payens, *Un jardin sans arroser,* Solar.

Sur le net :

• *« Pourquoi et comment réaliser et utiliser votre compost ménager »,* par l'ADEME, http://ademe.fr/particuliers/pdf/AdemeficheCompostage.pdf
• www.eco-bio.info/accueil.html
• www.compostage.info : toutes les techniques de compostage.

Vos éco-gestes d'or

À vous de jouer ! Et si vous changiez votre quotidien ? Et si vous choisissiez cinq éco-gestes de ce chapitre sur le jardin ? En fonction de votre personnalité, certains actes vous semblent insurmontables (vos habitudes vous paraissent trop ancrées...), d'autres en revanche vous vont déjà comme un gant !

Vous verrez, lorsque vous aurez pris une décision (et pas seulement une « bonne résolution »), chaque fois que vous la mettrez en pratique, vous vous sentirez lié à la Terre par un fil invisible...

Notez ici les cinq éco-gestes retenus, en signe de votre engagement. Ce peut être l'occasion d'avoir une conversation familiale où chacun choisit les gestes qu'il va introduire dans son quotidien. Une autre façon d'aller, ensemble, vers l'avenir...

P.-S. Si vous vous sentez motivés par plus de cinq éco-gestes, n'hésitez pas !

VOUS : ______________________

1. ______________________

2. ______________________

3. ______________________

4. ______________________

5. ______________________

VOTRE CONJOINT :

1.

2.

3.

4.

5.

LES ENFANTS :

1.

2.

3.

4.

5.

1.

2.

3.

4.

5.

Les transports

L'Institut français de l'environnement est clair : les transports, notamment routiers et aériens, exercent de très fortes pressions sur l'environnement (consommation de ressources et d'espace, émissions sonores, émissions de polluants et de gaz à effet de serre...). En France, ils contribuent pour 26,5 % aux émissions de gaz à effet de serre et pour 54 % aux émissions d'oxydes d'azote.
Le mode de transport routier prédomine : 84 % du trafic intérieur de passagers est effectué en voiture (en voyageurs par kilomètre). Cette proportion se stabilise depuis 1995 après une forte augmentation dans les années 1980. Le transport ferroviaire de voyageurs est en progression, de même que l'offre de transports collectifs urbains.

TRANSPORT INTÉRIEUR DE VOYAGEURS PAR MODE EN 2004 [93]

Voitures particulières	84 %
Transports en commun ferroviaires	10 %
Autobus, autocars	5 %
Transports aériens	1 %

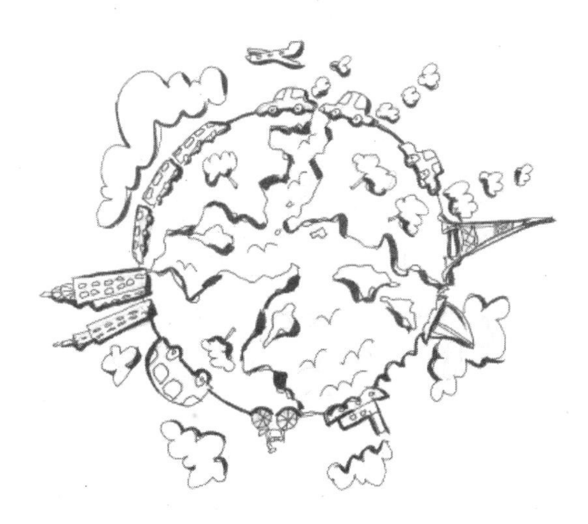

93. En milliards de voyageurs par kilomètre. Source : www.ifen.fr.

⋯ 740 millions de voitures en 2050

Après le logement, la voiture représente une part importante du budget : la moyenne des dépenses annuelles est de 6 000 euros consacrés à son financement, à son entretien et aux déplacements (hors horodateurs et amendes éventuelles !). Au kilomètre, elle nous revient à 48 centimes d'euro [94].
Un Français habite en moyenne à 15 km de son lieu de travail et dépense 260 euros par mois pour aller travailler en voiture, mais aussi pour effectuer les trajets liés à l'école, aux courses, aux loisirs, aux vacances... Or, l'automobile est la première source de pollution atmosphérique dans les grandes agglomérations.
À l'échelle planétaire, la seule circulation routière était responsable en 2004 de 17 % des émissions mondiales de CO2, le principal gaz à effet de serre directement impliqué dans le changement climatique en cours. Certes, dès aujourd'hui, des progrès sont réalisés : filtre à particules, essence sans plomb, biocarburants... Hélas, la plupart de ces avancées ne sont efficaces qu'après un certain nombre de kilomètres parcourus, or la moitié des déplacements automobiles font moins de 3 km ! Pour demain, on parle de voiture à hydrogène ou d'agrocarburants. Pour l'heure, rien n'est au point et leurs performances sont encore décriées. Les pouvoirs publics cherchent des solutions. Les centres urbains sont progressivement interdits à la circulation. Rome et Londres ont déjà instauré des péages. En France, on parle d'une surtaxe pour les 4x4... On cherche par ailleurs à favoriser les autres moyens de transport. C'est ainsi que Paris a notamment aménagé des centaines de kilomètres de couloirs réservés aux autobus, aux taxis, aux véhicules prioritaires, et 314 km de pistes cyclables. Mais plus simplement, tout de suite, chacun peut y aller de son geste citoyen et repenser son utilisation de la voiture !

Le saviez-vous ?

À Paris, la vitesse moyenne du métro est de 27 km/h et celle d'une voiture, de 18 km/h (hors temps passé pour trouver où se garer)... Édifiant !

94. Source : ministère de l'Écologie.

Le b.a.-ba de l'automobiliste responsable

Bien gonfler ses pneus

La pression des pneus influence la consommation d'essence : les pneumatiques sous-gonflés entraînent une surconsommation d'environ 3 % pour un déficit de 0,3 bar. Si vous prenez l'autoroute, augmentez la pression indiquée par le constructeur de 15 %. Pensez aux pneus « basse consommation » (jusqu'à 5 % d'économie).

Bannir les 4x4

Les véhicules dits « tout-terrain » sont les plus gros pollueurs, avec un surplus de consommation, en ville, de 4 litres aux 100 km par rapport aux autres véhicules. Les 4x4 émettent jusqu'à trois fois plus de CO_2 qu'une petite voiture économe. À 50 km/h en ville, ils consomment **deux fois plus de carburant** (du diesel dans 80 % des cas) **que des modèles classiques.** Pour autant, le marché des 4x4 continue de croître (2,6 % du marché automobile en France, contre 1,1 % en 1994).

Limiter les petits trajets urbains

Les deux-roues comme certains scooters et les petites voitures urbaines affichent les meilleurs résultats en faveur de l'air : leur consommation ainsi que leurs rejets sont faibles. Mais dans la mesure du possible, prenez les transports en commun quand vous le pouvez ou déplacez-vous à vélo ou à pied.

Diminuer sa vitesse de 10 km/h sur autoroute

Ainsi vous êtes moins dangereux, vous usez moins vos pneus et vous gagnez 7 euros sur un trajet de 500 km.

Utiliser des équipements permettant de mieux maîtriser sa consommation

Vous pouvez vous doter d'un indicateur de consommation, d'un régulateur limiteur, d'un système de navigation ; enfin ayez recours, avant votre départ, aux sites d'Info Trafic (www.infotrafic.com) ou de Bison futé (www.bison-fute.equipement.gouv.fr).

Éviter la climatisation

Bien qu'elle équipe trois véhicules neufs sur quatre, la climatisation est une source d'émission supplémentaire de gaz à effet de serre. En effet, une voiture climatisée

consomme de un (sur route) à trois (en ville) litres supplémentaires aux 100 km, soit 10 à 20 % de surconsommation de carburant. Celle-ci peut même atteindre les 50 % lorsque le moteur est froid. Enfin, les climatiseurs d'automobiles utilisent des tuyauteries souples qui perdent chaque année, en moyenne, 15 à 20 % du gaz frigorigène, gaz à effet de serre puissant, fortement nocif notamment pour la couche d'ozone.
Si vous climatisez, limitez la température de consigne à 4 ou 5 °C de moins que la température extérieure.

Modérer sa vitesse et sa nervosité
La route n'est pas un circuit de compétition ! Adoptez une conduite souple, sûre et sans à-coups : une conduite agressive en ville augmente la consommation de 40 %. La plupart des véhicules ont un rendement énergétique maximal entre 80 et 100 km/h. En roulant à 130 km/h, vous augmentez la consommation de carburant de 20 % par rapport à une allure de 115 km/h.
Adaptez votre vitesse : évitez sur-régimes et sous-régimes, anticipez les freinages et les accélérations. Vous économiserez entre 20 et 40 % de carburant.

Couper le contact en cas d'arrêt de plus d'une minute
En cas de course rapide, de coup de téléphone, d'embouteillage, ne laissez pas le moteur tourner inutilement plus d'une minute. Cette opération peut être automatique sur les véhicules disposant du système « Stop and Start », mis en place par certains constructeurs.

Ne pas jeter les détritus ni les mégots au-dehors
Toutes les voitures sont munies de cendriers. Utilisez-les, et pensez à les vider régulièrement... dans une poubelle, et non au pied du véhicule.

Ne pas surcharger la voiture

Enlevez après utilisation coffre de toit, galeries, porte-vélos (à placer à l'arrière). Le poids de la voiture et sa prise au vent influent sur la consommation de carburant. Évitez les galeries sur la voiture autant que possible : les affaires transportées peuvent être à l'origine d'accidents lorsque les attaches cèdent. Si vous avez beaucoup de bagages, optez pour une remorque plutôt qu'une galerie de toit, qui augmente la consommation d'essence même à vide : 10 % d'essence en plus à 120 km/h.

Et surtout, optimiser ses déplacements !

Voir également *Et si vous pensiez covoiturage ?*, p. 190.

Quand on le sait, on ne peut plus l'oublier !

Pour faire en sorte que votre véhicule consomme le moins possible, il faut entretenir avant tout l'allumage : batterie, bobine, bougies, Delco. Vérifiez aussi la propreté du filtre à air. Sale, il entraîne une surconsommation. Enfin, assurez-vous du bon réglage de la richesse du mélange pour la carburation (surtout pour les carburateurs anciens).

Les voitures aussi ont leur étiquette énergie !

Une étiquette énergie est apposée depuis mai 2006 sur les voitures mises en vente, pour renseigner sur leurs émissions de gaz à effet de serre. Elle concerne les véhicules neufs et d'occasion mis en circulation depuis le 1er juin 2004 et se décline en sept couleurs : trois vertes (A, B, C – moins de 140 g de CO_2 au kilomètre) jusqu'au G rouge (plus de 250 g de CO_2 au kilomètre).

Quid du GPL [95] ?

Difficile de choisir entre les différents carburants : une voiture essence pollue moins qu'une voiture diesel mais un véhicule diesel consomme beaucoup moins qu'un véhicule essence. Qu'en est-il du GPL (gaz de pétrole liquéfié) ?

Le GPL est un carburant composé de propane et de butane qui proviennent du raffinage du pétrole ou de gisements de gaz naturel. Carburant alternatif au sans-plomb et au diesel, il est soutenu à l'échelle nationale et européenne (notamment *via* des crédits d'impôt) et a fait son apparition en France, comme carburant, en

95. Source : http://geantvert.canalblog.com. Pour en savoir plus, contactez le CFBP (Comité français du butane et du propane). Son site www.cfbp.fr/ situe notamment le réseau de stations GPL.

1979. Il est plus écologique que les autres carburants : en effet, il ne contient ni plomb, ni soufre, ni méthane, ni benzène (responsables de la dégradation de la qualité de l'air et des pluies acides) et rejette beaucoup moins de polluants que le gasoil ou l'essence. Sa combustion n'entraîne pas de particules solides et produit beaucoup moins de gaz à effet de serre que celle des autres carburants. On note ainsi une diminution des oxydes d'azote (de 15 à 40 %), des oxydes de carbone (de 20 à 60 %), du gaz carbonique (de 10 % environ) et des hydrocarbures (de 30 à 60 %). Les véhicules roulant au GPL bénéficient automatiquement de la pastille verte et peuvent donc rouler lors des restrictions dues à la pollution.
Le GPL est aussi deux fois plus économique que le sans-plomb et 30 % moins cher que le diesel. Côté investissement, vous bénéficiez d'un crédit d'impôt de 1 525 euros pour l'achat d'une voiture GPL neuve ou pour la transformation de votre voiture (de moins de 3 ans) en véhicule GPL. Dans certaines régions, la carte grise est gratuite ou à moitié prix.
Malgré ces avantages, les Français continuent à bouder le GPL du fait de la forte inflammabilité du gaz. En 2004, ils n'étaient que 180 000 (sur plus de 30 millions de véhicules) à avoir opté pour une voiture roulant avec ce carburant. Aujourd'hui, les fabricants suivent des normes strictes pour éviter les accidents et ont installé une soupape de sécurité qui certifie la fiabilité du dispositif. Ils ne présentent pas plus de risques que leurs confrères marchant au gazole ou à l'essence et sont désormais acceptés dans tous les parkings publics.
Moins utilisé sur le parc automobile, le GPL ne se trouve pas dans toutes les stations-service, mais il est présent dans 2 000 d'entre elles, sur les grands axes routiers et dans les agglomérations. Quant aux voitures mêmes, elles sont peu présentes sur le marché (une cinquantaine toutes marques confondues), mais vous pouvez faire installer un kit vous permettant d'utiliser le GPL sur n'importe quelle voiture roulant à l'essence affichant moins de 60 000 km. On appelle cela la bicarburation. Renseignez-vous auprès de votre garagiste. L'avantage, c'est que vous pouvez rouler avec l'un et l'autre carburant. Il existe aussi une nouvelle génération de véhicules « hybrides », fonctionnant avec un carburant classique et en mode électrique selon les conditions de circulation (route ou ville). Cette bi-motorisation permet de diminuer sensiblement la consommation de carburant et les émissions de CO_2.

Prime pour l'électrique

L'ADEME verse des primes de 3 200 euros à l'achat d'un véhicule électrique et de 400 euros à l'achat d'un scooter électrique.

···> Et le GNV, c'est pour demain ?

Parmi les carburants alternatifs et « propres », le gaz naturel de ville (GNV) revient sur le devant de la scène : Carrefour et Total se sont engagés à équiper 300 stations d'ici à 2010 et Fiat annonce la nouvelle Panda Panda au GNV. Elle rejoindra la douzaine de modèles déjà équipés pour le gaz. Le principe est simple : c'est une voiture à essence sur laquelle on a ajouté un réservoir pour le gaz. Dès que le réservoir est vide, la voiture bascule en mode essence. Le GNV émet 25 % de CO_2 de moins que l'essence. Les voitures au GNV sont d'ailleurs autorisées lors des pics de pollution et des journées sans voiture. Pour faire le plein, en attendant de pouvoir le faire à la pompe, il faut s'équiper à domicile d'une mini-station installée par Gaz de France. La voiture GNV est moins chère à l'achat qu'une diesel grâce au crédit d'impôt de 2 000 euros accordé aux voitures vertes. Mais le coût de la location de la mini-station est, pour l'instant, encore un peu rédhibitoire. Peut mieux faire.

Une fausse bonne idée ?

Un plan du gouvernement français en faveur des biocarburants fixe un objectif de 10 % de consommation d'essence verte d'ici à 2015. Ses détracteurs préfèrent parler de « carburant vert », car il n'a rien de bio ! En effet, ce carburant, fabriqué à partir de la biomasse de plantes, est le fruit d'une agriculture intensive qui implique engrais, pesticides et beaucoup d'eau...

Préférer les modes de transport alternatifs

« *Le voyage, par définition, ce n'est pas arriver, c'est être en chemin.* »

Hugo Verlomme [96]

Le coût annuel d'une voiture particulière est vingt fois supérieur à celui de l'utilisation des transports en commun et soixante fois supérieur au coût d'un vélo équipé et entretenu. Adopter les transports alternatifs ou modes de circulation douce (bicyclette, rollers, patinette, planche à roulettes) sans oublier les transports en commun, le covoiturage, le vélo ou la marche, a des conséquences sur l'environnement, sur notre portefeuille et sur notre santé (sur nos nerfs aussi !). **Soyons éco-mobiles ! Boudons la voiture.**

---

96. Auteur de *Guide des voyages en cargo et small ships*, Éd. des Équateurs, 2006.

Le saviez-vous ?

Un autobus rempli de passagers (40 personnes) permet de retirer 35 à 40 véhicules de la route aux heures de pointe, et d'économiser ainsi 70 000 litres de carburant par an.

Et si vous pensiez covoiturage [97] ?

Selon les statistiques, **52 % des déplacements automobiles font moins de 3 km. Or,** sur un trajet, **les trois premiers kilomètres parcourus en voiture sont les plus polluants** ; le tout premier consomme deux fois plus que les suivants et pollue quatre fois plus ! Il faut donc éviter de prendre la voiture pour des déplacements inférieurs à cette distance. La consommation se stabilise entre le troisième et le sixième kilomètre.

Parcourir 500 m à pied nécessite 6 minutes. En sachant qu'un automobiliste a besoin de 8 minutes en moyenne pour garer sa voiture, on peut réfléchir...

La plupart du temps (90 % des trajets), une voiture ne transporte qu'un seul passager (en France, le taux moyen d'occupation d'un véhicule est aujourd'hui de 1,25 personne) ! Il est temps de penser au covoiturage... Pas besoin d'attendre les grèves pour faire voiture commune ! Un volant pour quatre, c'est écologique, économique et convivial ! Votre voisin emmène sa fille à la même école que la vôtre ? Proposez de l'emmener avec vous. Faites un petit détour pour prendre un collègue qui habite un quartier près du vôtre, il vaut mieux une voiture qui roule un peu plus longtemps que deux qui roulent un peu moins !

Un moyen économique de déplacement [98]

Beaucoup de personnes utilisent le covoiturage pour voyager à moindre coût : passagers et automobilistes partagent les frais de route (essence, autoroute...). Un déplacement devient ainsi beaucoup moins cher que la plupart des transports habituels. Les automobilistes demandent habituellement 0,04 euro par kilomètre.

Plusieurs personnes partageant leurs voitures régulièrement, sur le trajet domicile-travail par exemple, peuvent voir baisser leurs primes d'assurance : l'assurance faible kilométrage (10 000 km par an) est en effet proposée par la plupart des compagnies.

97. Pour vous aider, le site www.ecotrajet.com/ met en relation automobilistes et passagers partout en France. Voir aussi www.envoituresimone.com.
98. Source : Éco-trajet.

Pour aller plus loin

- Denis Baupin, *Tout voiture no future. Il y a une vie après l'auto !*, L'Archipel.

Sur le net :

- www.123envoiture.com
- www.easycovoiturage.com
- www.covoiturage-france.fr, un service de covoiturage pour professionnels et collectivités.
- www.partager.net
- www.allostop.net

Marcher, c'est le pied !

« Marcher nous renvoie à nous-même. Profondément. À ce qui compte dans nos vies. La marche élague, elle remet les choses à leur place, elle permet de retrouver le chemin du monde. »

David Le Breton

Marcher présente plein d'avantages : c'est bon pour le cœur, c'est bon pour les jambes, c'est bon pour le stock de vitamine D, c'est bon pour le porte-monnaie (pas d'essence, pas de parking, pas de contravention...) et c'est bon pour le moral ! Pourquoi s'en priver ? C'est même ce qu'il y a de mieux pour les petits trajets, qui sont les plus pollueurs et les plus nombreux. Vous en profiterez ainsi pour faire du sport ! Une demi-heure de marche dynamique est nécessaire chaque jour pour notre santé et ce n'est pas impossible à faire puisque plus de la moitié des déplacements automobiles font moins de 3 km [99] ! Chaque année, du 16 au 22 septembre, toute l'Europe se mobilise pour promouvoir des solutions de transport alternatives. En 2007, ces sept jours pour la mobilité durable étaient intitulés « Bougez autrement » ! **La meilleure énergie, c'est la vôtre !**

Le vélo

Et si nous imitions nos voisins hollandais et que nous nous remettions au vélo ? Pédaler, c'est la santé ! Par rapport à la marche, la « petite reine » nous transporte trois fois plus loin à effort égal et va entre trois et quatre fois plus vite. Par rapport à la voiture, au-delà de son coût très faible, le vélo a comme avantages

99. PDUIF (plan de déplacements urabains d'Île-de-France), 2001.

de ne pas être polluant, de ne pas nécessiter de gros investissements routiers, d'améliorer la santé de son conducteur, de ne pas nuire à celle de ses voisins et d'être très peu encombrant. Qui dit mieux ?

C'est ainsi qu'après le succès de Vélo'v à Lyon, la capitale cherche à son tour à donner l'exemple en introduisant 20 600 vélos en libre-service. Vélib' [100], « le vélo en toute liberté », est disponible en libre-service (et pour un prix variant suivant la durée d'utilisation) dans l'une des 1 451 stations disséminées dans toute la capitale. C'est l'un des projets lancés par la Mairie de Paris, qui s'est fixé pour objectif de diviser par quatre ses émissions de gaz à effet de serre d'ici à 2050. Au-delà de la capitale française, c'est l'Hexagone et l'Europe entière qui remontent peu à peu sur selle !

Le vélo est un sport doux qui peut être pratiqué tous les jours et qui améliore la santé. Diverses études médicales ont montré aisément que l'usage du vélo urbain – accessible à plus de 90 % de la population – contribue à l'amélioration de la santé :

• D'après la prestigieuse British Medical Association, une demi-heure de vélo par jour permettrait de diminuer par deux les maladies cardio-vasculaires et le stress (celui généré par les embouteillages notamment !).
• Comme tout exercice physique modéré et régulier, la pratique du vélo facilite la digestion, l'irrigation du cerveau, le maintien musculaire.
• Grâce au contact avec l'environnement, le cycliste développe son ouïe (spectre sonore varié), sa vue (champ visuel sans contraintes), son toucher (accélérations et décélérations non subies), son odorat (respiration soutenue).

Il faut également savoir que l'on respire mieux à vélo qu'en voiture. La raison en est simple : le cycliste se faufile, donc il reste moins longtemps que l'automobiliste dans les zones les plus embouteillées, plus polluées ; à vélo, on prend son air nettement plus haut au-dessus des pots d'échappement, que la ventilation d'une voiture.

Des mesures comparatives ont été faites en plaçant des capteurs portatifs, dosant différents gaz, dans un habitacle de voiture, sur un cycliste et ailleurs. Voici les résultats, en microgrammes par mètre cube, enregistrés à Paris *intra-muros* [101] :

---

100. Renseignements sur www.velib.paris.fr/.
101. Sources : *La Santé et l'environnement*, Mairie de Paris ; *Que choisir* n° 391, mars 2002.

QUANTITÉ DE GAZ TOXIQUES INHALÉS SELON SA LOCALISATION À PARIS (EN MG/M³)

	CO	NO	NO2	BENZÈNE	TOLUÈNE
Dans une voiture	10	409	77	65	288
En bus	3	311	86	28	94
À vélo	3,2	167	71	35	127
Piéton	2,9	144	57	27	92

Fin de deux idées reçues

« Le vélo en ville, c'est très dangereux. »

Les statistiques d'accidents urbains montrent qu'utiliser un deux-roues à moteur est effectivement très dangereux. Mais rouler à vélo est huit fois moins dangereux, car les cyclistes ne font pas d'excès de vitesse. Si, en plus, ils choisissent leur itinéraire, ce n'est pas plus dangereux que de circuler en voiture.

« Il est impossible d'éviter le vol des vélos. »

Le vol n'est pas une fatalité. Les cyclistes sont les premiers à être négligents. En attachant son vélo à un point fixe, dans un endroit pas trop risqué, avec un cadenas haute sécurité en U, le risque devient quasi nul (bannissez les antivols à câble). Des villes européennes testent actuellement avec succès le marquage des vélos. À suivre...

À vélo au travail

L'opération « À vélo au travail », pour inciter le public à utiliser son vélo pour aller travailler, se répand progressivement. L'action est menée sur une journée, voire une semaine. Depuis 2001 en Allemagne, depuis 2005 en Suisse mais aussi au Danemark, en Angleterre et désormais en France dans quelques villes (Grenoble, Nantes, Toulouse, Chambéry, Strasbourg), cette mobilisation prend de l'ampleur. Les entreprises qui souhaitent sensibiliser leurs salariés peuvent entrer en contact avec la Fédération française des usagers de la bicyclette.

Pour aller plus loin

- Chris Sidwells, *Le Grand Guide du vélo,* Hachette pratique.

Sur le net :

- Fédération française des usagers de la bicyclette : www.fubicy.org/
- Mouvement de défense de la bicyclette : www.mdb-idf.org/

Préférer le train à l'avion ou à la voiture

On se retrouve à l'autre bout du monde de plus en plus facilement. Un clic sur Internet suffit. Pourtant, l'avion est le mode de transport le plus polluant, même en le rapportant au nombre de voyageurs (étant donné que les avions peuvent transporter des centaines de voyageurs). Ainsi, un aller-retour Paris-Miami dégage autant de CO_2 que l'usage moyen d'une automobile pendant un an ! Et le trafic aérien ne cesse d'augmenter : de 2 milliards de passagers par an actuellement, il pourrait passer à 9,5 milliards en 2050. Autrement dit : les rejets de CO_2 du secteur auront triplé... D'ores et déjà, les industriels mènent des recherches sur des kérosènes de synthèse pour réduire la consommation des appareils.

De leur côté, les compagnies ferroviaires mettent les bouchées doubles pour convaincre les voyageurs. Pour faciliter les périples à grande vitesse à travers l'Europe, la SNCF et six de ses homologues européens ont créé l'association Railteam. Les compagnies veulent attirer 10 millions de voyageurs de plus d'ici à 2010 en grignotant 5 % de parts de marché aux vols courts et moyens courriers. Railteam insiste sur les qualités environnementales du train : un voyage sur rail consomme deux à trois fois moins d'énergie qu'un transport par route. Et un vol Londres-Paris génère environ dix fois plus d'émissions de dioxyde de carbone qu'un voyage en Eurostar, indique l'association.

Pour vous aider à choisir le mode de transport le mieux adapté, la SNCF, entre autres, a mis en place sur son site Internet un « écocomparateur ». Vous entrez votre trajet et la date de votre voyage et, en quelques secondes, il vous indique le meilleur tarif en train et en avion, ainsi que le coût du trajet avec votre voiture personnelle. Il compare également les temps de transport et les émissions de CO_2.

Le saviez-vous ?

Selon un rapport publié par le Réseau Action Climat, un avion dégage l'équivalent de 360 g de CO_2 par personne et par kilomètre. C'est deux fois plus qu'une voiture diesel, quatre fois plus qu'un bus et trente-cinq fois plus que le train.

De façon générale :

• L'avion est un luxe qui n'est intéressant que pour un voyage de plus de 800 km. C'est en effet pour les vols à courte distance que le bilan environnemental de l'avion est le plus lourd, car la consommation d'énergie et les rejets polluants sont les plus massifs au départ et à l'atterrissage de l'appareil.

• Entre 150 et 800 km, prenez le train. Pour un trajet plus court, vous pouvez utiliser votre

voiture. Dans ce cas, empruntez les petites routes plutôt que l'autoroute. Vous éviterez les péages, roulerez moins vite et consommerez donc moins de carburant.

- **Pensez aux transports multimodaux : emportez votre vélo dans le train ou, si vous comptez faire de longues distances sur place, louez une voiture à l'arrivée.**

La solidarité dans les nuages

La contribution de solidarité sur les billets d'avion, aussi appelée la « taxe Chirac », est entrée en vigueur le 1er juillet 2006. Elle renchérit le coût des vols de 1 à 40 euros. Ainsi, pour tout billet d'avion acheté en France, il vous sera facturé 1 euro par vol intérieur et européen, 4 euros pour un long-courrier, 10 et 40 euros pour ces mêmes vols s'ils sont effectués en classes affaires et première. La taxe est destinée à alimenter Unitaid, le nouveau mécanisme international d'achat de médicaments contre le sida, la tuberculose et le paludisme pour les pays du Sud. La France a ouvert la voie. Dix-sept autres pays (Allemagne, Brésil, Chili, Algérie...) s'apprêtent à prendre une décision similaire.

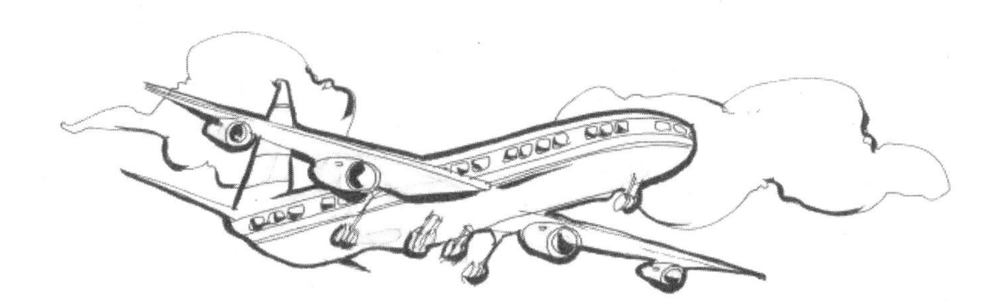

Vos éco-gestes d'or

À vous de jouer ! Et si vous changiez votre quotidien ? Et si vous choisissiez cinq éco-gestes de ce chapitre sur les transports que vous introduirez chaque fois que vous le pourrez ? En fonction de votre personnalité, certains actes vous semblent insurmontables (vos habitudes vous paraissent trop ancrées...), d'autres en revanche vous vont déjà comme un gant !
Vous verrez, lorsque vous aurez pris une décision (et pas seulement une « bonne résolution »), chaque fois que vous la mettrez en pratique, vous vous sentirez lié à la Terre par un fil invisible...

Notez ici les cinq éco-gestes retenus, en signe de votre engagement. Ce peut être l'occasion d'avoir une conversation familiale où chacun choisit les gestes qu'il va introduire dans son quotidien. Une autre façon d'aller, ensemble, vers l'avenir...

P.-S. Si vous vous sentez motivés par plus de cinq éco-gestes, n'hésitez pas !

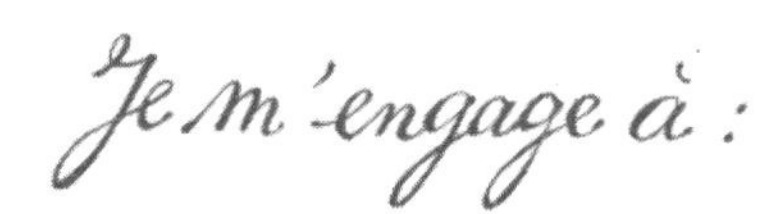

VOUS : ____________________

1. ____________________

2. ____________________

3. ____________________

4. ____________________

5. ____________________

VOTRE CONJOINT :

1.

2.

3.

4.

5.

LES ENFANTS :

1.

2.

3.

4.

5.

1.

2.

3.

4.

5.

En week-end ou en vacances dans la nature

« *L'homme se développe actuellement comme un ver de terre : un tuyau qui avale de la terre et qui laisse derrière lui des petits tas. Si un jour, la terre disparaît parce qu'il aura tout mangé, il ne faudra pas s'en étonner.* »
Andreï Tarkovski

« *L'émerveillement constitue le premier pas vers le respect...* »
Nicolas Hulot

Les week-ends ou les vacances dans la nature ne doivent pas être l'occasion d'abolir nos bons réflexes, mais au contraire de prolonger notre action ailleurs. Les « gestes durables » dont nous avons pris l'habitude à la maison (pratiquer des loisirs propres avec un minimum de motorisation, ne pas prendre trois douches par jour parce qu'il fait chaud, ne pas jeter ses ordures à tort et à travers...), emportons-les en vacances.
En camping, en randonnée, en montagne, à la plage ou en croisière, prenons autant soin du milieu que s'il s'agissait de notre propre demeure. Pour que les vacances restent des moments extraordinaires, respectons aussi la façon de vivre des gens qui nous accueillent : soyons attentifs à leur culture, ne gaspillons pas leurs ressources, respectons leur environnement. Dans la région d'à côté ou à l'autre bout du monde, le tourisme se nourrit de la diversité naturelle et culturelle de la planète : ne gâchons pas des biens aussi précieux. Et si on partait en vacances sans mettre sa conscience en vacances [102] ?

102. Slogan de l'association de tourisme durable Echoway.

Les Français et les vacances [103]

Dans plus de 80 % des cas, le Français va d'abord... en France. Selon une étude européenne de 2006, les Français demeurent d'ailleurs les plus casaniers d'Europe en matière de vacances. En effet, 83 % d'entre eux préfèrent passer leurs congés dans leur pays, contre 31 % des Danois qui sont les plus mobiles. À peine 17 % d'entre nous choisissent de partir hors frontières. Quant aux priorités, le repos (61 %) et la découverte (37 %) sont privilégiés. C'est la mer qui reste de loin la principale destination (64 %) ; le climat joue un rôle essentiel pour 80 % des personnes, juste après le budget (81 %).

« *Pour moi c'est la beauté de la nature qui nous mène aux portes du respect.* »
Nicolas Hulot

···> Les vacances contribuent au réchauffement climatique

Selon une étude de l'Institut français de l'environnement, les périodes de congés en France contribuent à la pollution et au réchauffement climatique. En effet, 16 % des émissions annuelles de gaz carbonique (CO_2, le principal responsable du réchauffement climatique) provoquées par les déplacements de particuliers en voiture, soit 12,4 millions de tonnes, correspondent aux déplacements des Français qui partent en week-end ou en vacances.

Un milliard de touristes sillonnent le monde chaque année. Chacun parcourt en moyenne 1 900 km [104].

103. Source : ABM (Aventure au bout du monde).
104. Source : Organisation mondiale du tourisme.

Le tourisme écologique

Les préparatifs du départ : à vos marques... prêts [105]

Avant de partir :

• Videz le réfrigérateur des denrées périssables. Si vous pensez ne pas pouvoir les consommer, n'oubliez pas qu'elles feront peut-être plaisir à vos voisins qui partent plus tard.

• C'est le moment idéal pour faire le point sur la date de péremption des surgelés dans le congélateur et, mieux, pour le vider, le dégivrer et prévoir son arrêt pendant les congés.

• Les bagages doivent être préparés avec soin, le matériel à emporter débarrassé de ses emballages. Autant de déchets qui ne seront pas laissés sur place ! Une règle d'or : voyagez léger pour ne pas laisser de traces...

• Préparez bien le panier de pique-nique pour ne pas emporter plus que vous n'allez consommer.

• Stockez les produits sensibles à la chaleur dans une glacière.

• Pour vos achats, si vous n'avez pas de panier, prévoyez des sacs ou cabas (réutilisables).

105. Conseils du ministère de l'Écologie et du Développement durable, élaborés par le Comité de pilotage du plan national de prévention.

Sur la route des vacances :

• Après le pique-nique, rassemblez les déchets dans un sac pour les jeter dans une poubelle. Ou mieux, sur une aire d'autoroute avec un point recyclage, prenez soin de jeter les emballages recyclables dans la poubelle de tri correspondante.
• Un déchet, même biodégradable, ne doit pas être jeté par la fenêtre...
• Choisissez des lieux d'hébergement où le respect de l'environnement est intégré dans les pratiques de l'exploitant : hôtels, campings... En particulier, l'éco-label européen peut guider votre choix [106].

Les onze incontournables de vos vacances

Où que vous soyez, seul, en couple, entre amis, en famille, en France, à l'étranger, voici onze clés du savoir-vivre dans la nature à respecter impérativement...

❶ Ne pas laisser de déchets derrière soi

Ne salissez pas la nature plus qu'elle ne l'est... Laissez-la en l'état. Nous avons trop souvent pris l'habitude de jeter les petits déchets qui nous encombrent : l'emballage du bonbon ou du chewing-gum, le film plastique du paquet de cigarettes ou même le mégot... or tous traîneront dans la nature pendant au minimum deux ans. Un lieu que l'on visite doit être respecté : il n'est pas correct de laisser derrière soi ses déchets, quels qu'ils soient. Nos éventuels détritus seront conservés pour être mis à la poubelle ultérieurement. Pour exemple, un papier de bonbon met 5 ans à se désagréger, une canette en métal 10 ans et une bouteille plastique 500 ans ! Quant au verre, il peut provoquer avec le soleil des incendies de forêt.

« *À la limite, le seul écologiste irréprochable*
est celui qui met tout en œuvre pour mourir
sans laisser la moindre trace de son passage sur terre. »
Didier Nordon

❷ Respecter les zones protégées

Les réserves naturelles et les parcs nationaux sont soumis à des réglementations particulières, qui visent à protéger les espèces et les espaces. L'impact des ran-

106. Voir à ce propos le site www.eco-label.com (catégories « hébergement touristique » et « campings »).

donneurs sur la nature peut être ravageur. Il est donc important, pour protéger ces lieux authentiques, de suivre scrupuleusement les recommandations, et de payer, le cas échéant, les taxes qui participent à financer leur entretien. Les zones sensibles, telles que les dunes littorales, sont protégées par des clôtures à respecter : elles protègent la végétation, et notamment les oyats (grandes herbes qui aident à fixer la dune).

❸ Économiser l'eau

L'eau potable est parfois très rare dans certains pays : il faut l'utiliser avec modération, notamment pour la toilette.

Par ailleurs, il faut limiter le plus possible les pollutions, car les infrastructures de traitement peuvent être inexistantes ou peu performantes : les lessives sans phosphates, les savons et détergents biodégradables sont à privilégier. Vous éviterez ainsi la prolifération d'algues nuisibles à la vie aquatique. Enfin, il faut s'efforcer, dans le cadre d'un voyage « à la dure », de laver son linge ou de faire sa toilette en aval des habitations et à distance des points d'eau potable.

Un touriste dans un hôtel en Afrique consomme sept à dix fois plus d'eau pour se laver qu'un habitant local pour arroser son champ et nourrir sa famille.

❹ Privilégier les destinations de proximité

Le choix d'un mode de transport pour accéder à un lieu de vacances est à étudier de très près. Plus la destination est lointaine, plus l'option de l'avion paraît logique.

CONSOMMATION COMPARÉE DES MOYENS DE TRANSPORT EN ÉQUIVALENT PÉTROLE PAR PASSAGER ET PAR KILOMÈTRE

Avion	30 à 60 g
Automobile	30 g
Train	6 à 15 g
Autocar	9 g

Ne pratiquez pas de sports polluants, tels que la motoneige, la moto tout-terrain ou le hors-bord.

❺ Utiliser l'énergie du soleil

L'énergie du soleil est propre, facilement disponible et quasi inépuisable... Voici quelques idées simples et ingénieuses.

• Le spot solaire : muni d'une ampoule LED (les ampoules du futur, qui consomment très peu et ont des durées de vie de plusieurs années) et d'un capteur solaire, ce spot se plante dans la terre et peut s'orienter pour éclairer jusqu'à cinq mètres. Il accumule l'énergie solaire le jour et la convertit en électricité qu'il restitue automatiquement la nuit. Idéal pour le jardin !

• Autre idée lumineuse, investissez dans des lampes et chargeurs solaires. Vous les rentabiliserez en économisant l'achat de piles et éviterez d'avoir à jeter ces dernières.

Les batteries de la torche solaire se rechargent uniquement grâce à l'énergie du soleil, ce qui évite l'utilisation de piles polluantes. Elle s'adapte à tous les usages : bricolage, randonnée, vélo...

• Pour ceux qui aiment se rafraîchir au soleil de leur terrasse ou qui souhaitent se doucher à bonne température en randonnée, goûtez aux délices de la douche solaire. Pour la faire fonctionner, rien de plus simple : il suffit d'exposer son réservoir une heure en plein soleil pour réchauffer l'eau qu'il contient et obtenir ainsi une eau à 28 °C. Il ne reste plus qu'à accrocher le réservoir à une branche d'arbre et se doucher à l'aide de la douchette intégrée. Un délice...

❻ Suivre les sentiers de randonnée

Pour éviter de détruire la flore et d'apeurer les animaux, restez dans les chemins proposés, régulièrement entretenus pour notre sécurité et celle de notre environnement.

Empruntez les sentiers déjà empruntés ou tracés, ne piétinez pas la végétation autour. Cela limite votre contribution à l'érosion. De même, en bivouac, utilisez aussi souvent que possible les terrains aménagés et évitez le camping sauvage.

Créée en 1947, la Fédération française de randonnée pédestre [107] a déjà balisé 180 000 km qui sont régulièrement entretenus par plus de 6 000 bénévoles. Préservez la nature : toute l'année, des bénévoles balisent et entretiennent les chemins de randonnée. Ils le font en fonction de la nature du terrain, de sa morphologie, de la végétation qui y pousse. Ainsi soyez particulièrement vigilants sur les dunes, milieux fragiles que la pluie et le vent érodent facilement.

107. FFRandonnée, 14, rue Riquet, Paris. Tél. : 01 44 89 93 90. Site : www.ffrandonnee.fr/.

❼ Ne pas allumer de feu

Le feu, qui se propage très vite (surtout quand il y a du vent) provoque des dégâts considérables sur la faune et la flore. Même si c'est agréable de se trouver près d'un feu en soirée, veillez bien à ne pas les allumer n'importe où. On retrouve trop souvent des feux à demi éteints en pleine forêt, sur des tapis de feuilles mortes, ou près de buissons qui s'enflamment rapidement. Vérifiez toujours qu'il n'y a rien d'inflammable autour de vous.

La vigilance est de mise :

- Une cigarette jetée par la portière d'une voiture est aussi dangereuse qu'un réchaud à gaz ou un barbecue.
- Une bouteille de verre abandonnée peut provoquer un incendie, par effet de loupe avec les rayons du soleil.

Si vous tenez à vous chauffer avec un feu, utilisez du bois mort trouvé à terre comme combustible.

❽ Ne pas prélever d'espèces sauvages

Évitez de cueillir les fleurs et les végétaux que vous ne connaissez pas sur votre chemin, même s'ils sont beaux. Prenez-les plutôt en photo pour garder un souvenir ou, si vous êtes « artiste », faites-en un croquis sur un carnet. De nombreuses espèces de fleurs sont maintenant protégées à cause de notre cueillette facile, pensez-y ! Si toutefois vous faites un bouquet, veillez bien à ne pas arracher les racines, pour permettre la repousse. Évitez de toucher aux petits des animaux, qui une fois imprégnés de votre odeur pourraient être abandonnés par leurs parents, les livrant à une mort quasi certaine.

❾ Proscrire les activités motorisées et bruyantes

Respectez la tranquillité des autres ! 4x4, scooters des mers, motos trails, moto-cross, scooters et cyclomoteurs débridés, quads... sont autant de véhicules inutiles, polluants et destructeurs pour les écosystèmes et les oreilles. Ainsi, il a été mesuré qu'un scooter débridé traversant Paris de nuit réveille environ 100 000 personnes.

Pour vos randonnées en forêt, en campagne, en montagne, en mer... préférez le vélo, la marche, le canoë, le cheval, la voile ou la roulotte, plus silencieux et respectueux de la nature. Ces véhicules motorisés, en effet, effraient les animaux, polluent par leurs émissions de CO_2 et mettent à rude épreuve les terrains.

⑩ Ne pas créer ni entretenir de décharge sauvage

Par flemme et par ignorance, nous créons des tas d'ordures ici sur le bord de la chaussée, là dans une impasse. Ils sont alors fréquemment alimentés par d'autres qui aiment profiter de cette solution de facilité, de surcroît populaire, donc acceptable. Pourtant, il existe des déchetteries qui sont mises gratuitement à votre disposition. Ceci afin de garder propres des espaces souvent plus sauvages qui sont alors pollués et d'éviter aux plus jeunes de s'amuser dans nos déchets.

⑪ Ne déverser aucun produit dans les cours d'eau

Les rivières et la mer ne doivent plus devenir des poubelles pour nos produits chimiques. La toxicité de certains produits est telle qu'ils peuvent entraîner la mort de milliers d'animaux à la suite d'un rejet. N'oublions pas que les toxines ainsi déversées dans la nature nous reviennent forcément, et en grande quantité, *via* notre alimentation...

Quand on le sait, on ne peut plus l'oublier !

• Ne gravez pas vos noms dans l'écorce d'un arbre et ne cassez pas ses branches. Ce sont autant de blessures ouvertes qui attirent des parasites qui peuvent détruire l'arbre entier.

• Si vous avez besoin d'un bâton, préférez les branches mortes tombées au sol.

Tout végétal, tout animal, même le plus infime ou le plus banal, a un rôle à jouer dans la nature.

À la mer

« Sur la mer, personne ne vous prend en tutelle.
C'est le dernier espace au monde où vous êtes responsable !... »
Paul Guimard

Un petit mégot de plus sur la plage, il n'y a pas de quoi fouetter un chat...? Mais aussi une crotte de chien, un briquet, une capote, une seringue, un tampon hygiénique, un bout de verre, un sac plastique, une assiette en carton... Combien de municipalités tamisent chaque soir le sable à l'aide de tracteurs pour redonner un « coup de propre » à leurs plages ? Efficace pour détruire tout l'écosystème au passage ! De même, l'écosystème marin subit d'autres agressions, notamment par la faute des plaisanciers. Un sac plastique jeté à la mer peut être fatal à une tortue, qui s'étouffera en croyant gober une méduse. Les plaisanciers et plongeurs non plus ne sont pas tout « verts ». Donner à manger aux poissons interfère dans l'équilibre entre les espèces, et les incite à modifier leur comportement naturel. Or, dans les océans, chaque espèce compte. Si l'une se dégrade, toutes sont affectées... Redevenons responsables.

À la plage

Pour que les plages soient (presque) aussi belles que sur les cartes postales, c'est à vous de jouer...

• Jetez vos déchets dans les poubelles. Malgré la présence de corbeilles, chaque vacancier laisse en moyenne 2 litres de déchets par jour sur les plages ! Ainsi, plus de 120 millions de sacs plastique sont dispersés sur le littoral français ! Ceci oblige les communes concernées à tamiser le sable avec des herses tirées par des tracteurs qui nuisent aux écosystèmes. Chaque année, selon le Programme des Nations unies pour l'environnement (PNUE), les déchets en plastique provoquent la mort d'un million d'oiseaux, de 100 000 mammifères et d'un nombre incalculable de poissons.

• Préférez des sacs ou paniers un peu lourds pour transporter vos affaires, car un sac trop léger risque de s'envoler. De même, soyez particulièrement attentif à tous les objets légers (plastique souple, polystyrène) apportés sur la plage, que le vent peut entraîner.

• Éteignez bien vos cigarettes et ne laissez pas traîner les mégots. Pour fabriquer un magnifique cendrier portatif, utilisez une boîte de pellicule photo. Gardez-la toujours avec vous !

• Respectez la végétation littorale, surtout celle des dunes, dont l'équilibre est très fragile. Utilisez toujours les chemins d'accès aux plages.

• N'emmenez jamais votre chien sur la plage.

• Protégez-vous avec des laits solaires plutôt qu'avec de l'huile. Au contraire de l'huile, le lait ne s'en va pas dans l'eau. L'huile solaire introduite par les baigneurs flotte à la surface de l'eau et forme un écran qui ralentit la photosynthèse des végétaux sous-marins et donc la vie végétale près des côtes.

• Si vous ramassez des coquillages, replacez les pierres que vous retournez. Vérifiez bien avant de les ramasser qu'il n'y a « personne » dedans...

• Ne pratiquez pas de sports nautiques dans les zones de baignade.

Vous avez dit bleu, blanc ou vert ? Pour connaître les plages qui arborent le pavillon bleu (ce dernier distingue et valorise les plages et ports de plaisance qui répondent à des critères d'excellence pour la gestion globale de leur environnement), rendez-vous sur le site www.pavillonbleu.org. En 2007, 252 plages françaises se sont vues attribuer le pavillon bleu. Le programme Pavillon [108], lancé en 1985, concerne déjà 36 pays.

Le cabillaud exterminé en quarante ans [109]

En 1497, le navigateur vénitien Giovanni Caboto croisait au large des côtes de Terre-Neuve. Il signala que les cabillauds étaient si nombreux qu'ils bloquaient ses vaisseaux ! Cinq siècles plus tard, l'espèce a nourri des centaines de milliers d'êtres humains à travers le monde et a disparu à 97 %. Elle a été exterminée en quarante ans avec la pêche industrielle et les chaluts de fond. Le thon rouge et les anguilles seraient aujourd'hui menacés (voir encadré *Que manger sans menacer la biodiversité ?*, p. 218).

108. Site : www.pavillonbleu.org/.
109. Source : *Le Monde 2*, 10 février 2007.

Vous naviguez cet été ?

Les bonnes habitudes embarquent aussi

• Ne jetez aucun déchet par-dessus bord en mer ni près de la côte, même biodégradable. Attention aux filtres de cigarettes ! Attendez d'être au port pour vous défaire de vos déchets. Les fonds marins et les espèces qui y vivent sont sensibles aux agressions extérieures, en particulier aux rejets, tant solides que liquides.
Deux études menées en Nouvelle-Zélande et à Hawaï ont ainsi montré, par exemple, que plus de la moitié de l'alimentation des albatros était constituée de plastique, principalement des briquets !

• Faites du canotage, de la voile, du kayak, de la planche à voile ou d'autres sports nautiques qui ne consomment aucun carburant.

• Surveillez le sillage de votre bateau, surtout si vous êtes à moins de 150 m du rivage. Les vagues peuvent éroder la rive et perturber l'habitat faunique.

• Ne remplissez pas votre réservoir d'essence à ras bord pour ne pas en déverser dans l'eau.

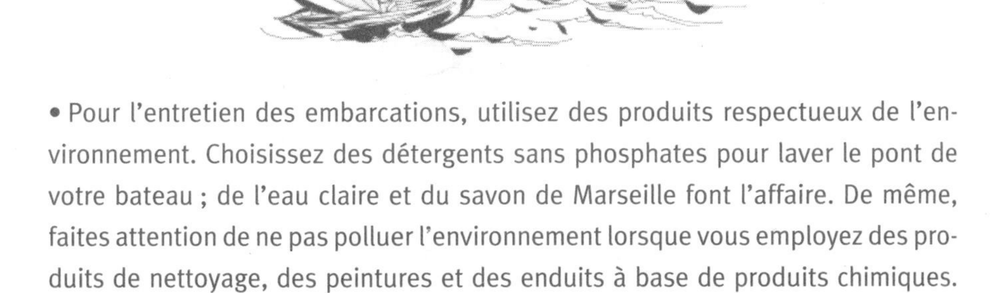

• Pour l'entretien des embarcations, utilisez des produits respectueux de l'environnement. Choisissez des détergents sans phosphates pour laver le pont de votre bateau ; de l'eau claire et du savon de Marseille font l'affaire. De même, faites attention de ne pas polluer l'environnement lorsque vous employez des produits de nettoyage, des peintures et des enduits à base de produits chimiques. Utilisez des enduits, peintures et vernis non toxiques.

• Attention aux eaux ménagères de l'évier, de la douche ou de la sentine de votre bateau. Utilisez du savon sans phosphates et ne jetez jamais de produits dangereux ni d'eau huileuse dans le tuyau d'écoulement.

• Prévenez les fuites d'huile ou de carburant. Un litre d'huile contamine jusqu'à deux millions de litres d'eau ! Jetez l'huile usée dans les réservoirs prévus pour le recyclage des huiles. La plupart des ports de plaisance en mettent à disposition.

• Installez sur le bateau un système de canalisations fermées avec un réservoir (cuve à eaux noires) pour recueillir toutes les eaux usées (toilettes, évier...). De plus en plus de ports sont équipés de systèmes de vidange.
• Ne jetez pas l'ancre près d'un récif corallien.
• Pour ce qui est des commodités, n'oubliez pas d'utiliser le plus possible les toilettes mises à votre disposition dans les ports. C'est moins bucolique que la jupe du bateau, mais c'est plus propre : certaines eaux sont souillées tous les étés par les plaisanciers au point que la baignade y est parfois interdite.
Évitez d'utiliser vos toilettes marines si vous êtes près des côtes. Utilisez de préférence les sanitaires du port (douche, W-C, bac à vaisselle) lorsque vous êtes à quai.
• Économisez l'eau douce. Limitez les rejets des eaux de vaisselle, de douche ou de sentine. Évitez de faire la vaisselle à bord. Utilisez des assiettes, gobelets et couverts réutilisables plutôt qu'une vaisselle en plastique jetable.

Au port

• Depuis qu'il y a des récupérateurs de bouteilles en verre dans les ports, il est d'autant plus inutile et polluant de casser ses bouteilles au large ! Faites-y une escale dans la journée avant de retrouver un petit mouillage tranquille.
• Utilisez les poubelles et les toilettes du port.
• Videz les eaux usées uniquement dans les stations et les ports approuvés à cette fin.

Limiter les nuisances liées au moteur

• Vérifiez ou faites vérifier annuellement le bon fonctionnement de votre moteur.
• Préférez un moteur quatre temps qui consomme moins et produit moins de rejets.
• Sachez qu'il existe des carburants « alternatifs », notamment le GPL marin.

En plongée

Une règle à apprendre par cœur :
« Ne dérangez rien. Ne prélevez rien. Ne touchez rien... »

• Contentez-vous de toucher des yeux la faune et la flore sous-marines : prenez des photos !
• Pour éviter d'abîmer les coraux, utilisez des palmes courtes et nagez doucement.

Fixez bien votre matériel près du corps pour qu'il ne racle pas les récifs. Prélever ou abîmer un morceau de corail réduit à néant un travail de la nature qui a demandé des années : une branche de 10 cm met un an à se former ! Cette agression peut ainsi retarder de plusieurs années la formation d'un récif. Les coraux ont pourtant déjà fort à faire pour résister au réchauffement climatique et autres pollutions humaines...

• Soyez attentif à ne pas donner de coups de palmes à la vie fixée.
• Évitez de vous accrocher ou de vous poser sur le fond, pour ne pas détruire animaux fixés et plantes.
• Ne nourrissez pas les animaux.
• Remettez en place les pierres que vous avez déplacées.
• Ne poursuivez pas les grands animaux comme les dauphins, les tortues ou les requins-baleines. Prenez votre temps, restez calme, ils seront en confiance. Laissez-les venir. Ne les touchez pas.
• Utilisez vos éclairages sans éblouir les animaux.
• Collectez les sacs et objets en plastique que vous trouvez en plongée.
• N'achetez pas de souvenirs tirés de la mer : dent de requin, coquillage, corail, carapace de tortue...

Pour aller plus loin

Consultez la Charte internationale du plongeur responsable, établie par l'association Longitude 181 Nature, qui réunit quelques anciens amis du commandant Cousteau.

Longitude 181 Nature, 12, rue La Fontaine, 26000 Valence.

Site Internet : www.longitude181.com/

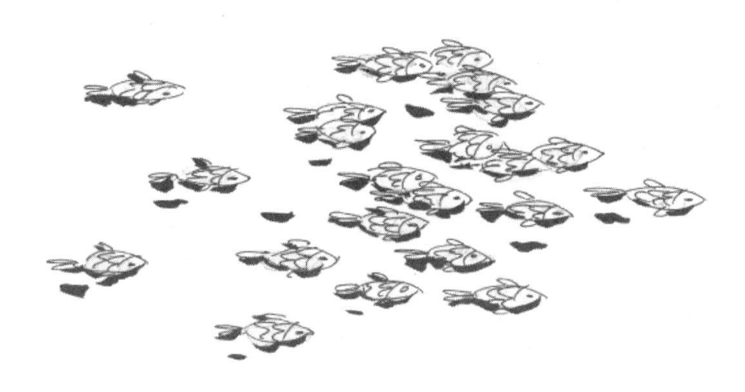

À la montagne

« *En haut des cimes, on se rend compte que la neige, le ciel et l'or ont la même valeur.* »
Anonyme

« *Le spectacle des montagnes donne quelque idée du fait accompli.* »
Alain

Que la montagne est belle ! Mais, comme la mer, c'est un écosystème extrêmement fragile. Aussi, depuis 1976, une entité lui est entièrement dévolue : la Commission nationale de protection de la montagne. De nombreuses pratiques sont à corriger : ainsi, cueillir des plantes, sortir des sentiers balisés ou simplement couper au plus court entre deux courbes d'un lacet accélèrent son érosion. La gestion des déchets pose aussi problème. La montagne devient parfois un vrai dépotoir, même dans les endroits les plus reculés. Il faut savoir qu'**à haute altitude, ou sur les glaciers, rien ne se dégrade : le froid « conserve » les déchets. Alors, redescendez avec !** En grande comme en petite randonnée, laissez le moins de traces possible de votre passage...

···⁘ Pour le pique-nique

- Privilégiez les produits en vrac, ce qui limitera le poids et la quantité d'emballages vides à rapporter.
- Emportez de préférence un réchaud à gaz (ou d'autres moyens de combustion peu consommateurs de bois). Certaines régions ont subi une déforestation importante du fait du tourisme : Himalaya, Kilimandjaro, Atlas marocain... Cela signifie souvent érosion, glissements de terrain, modifications climatiques, absence de bois pour les populations locales qui n'ont pas les moyens d'acheter du gaz.

Si aucune solution de cuisine au gaz n'est encore en place, utilisez du bois mort trouvé au sol. Le charbon de bois est grand consommateur d'arbres verts et vivants.

···⁘ Que faire des déchets ?

- **On ne le dira jamais assez : on ne brûle jamais ses déchets en montagne.** Cela provoque d'importantes émissions de dioxines et de nombreux déchets ne sont pas détruits par un simple feu – sans parler du risque d'incendie. Conservez vos déchets (même biodégradables) avec vous et jetez-les à la poubelle ultérieurement.
- Là aussi, emportez un cendrier portatif. Selon Mountain Riders [110], une association qui travaille pour le respect de l'environnement, on peut compter jusqu'à 30 000 mégots jetés depuis un télésiège en une saison !

Pensez aussi que le petit papier que vous avez jeté dans la neige cet hiver sera peut-être sur la plage où vous vous trouverez cet été. En effet, la neige se transforme en eau, l'eau descend des montagnes, part dans les torrents, pour finir dans la mer. Elle emporte avec elle beaucoup de déchets... !

···⁘ Quid des besoins naturels ?

Savez-vous que les défécations humaines peuvent contaminer les cours d'eau et propager des parasites ou des maladies comme l'hépatite ou la typhoïde ? Enterrez vos besoins et le papier hygiénique, non seulement pour des questions d'esthétique mais aussi parce qu'ainsi ils seront plus rapidement décomposés. Faites-le toujours à 50 m minimum de toute source d'eau. Recouvrez le tout de terre et de pierres.

Des toilettes au sommet du mont Blanc !

Les 25 000 à 30 000 alpinistes qui se lancent chaque année à l'assaut du mont Blanc ont transformé son sommet en cabinet à ciel ouvert. Or, à plus de 3 000 m, tout se congèle,

110. L'association Moutain Riders réunit snowboarders, skieurs, randonneurs… tous passionnés de montagne et mobilisés pour le respect de ce milieu fragile. Siège : 41, cours Docteur-Long, 69003 Lyon. Site Internet : www.mountain-riders.org.

rien ne s'altère. Plusieurs tonnes d'excréments dorment ainsi sous la neige... Aussi des toilettes sèches ont ainsi été installées, l'été 2007, pour rendre sa blancheur à la montagne. À 4 360 m d'altitude, les toilettes de l'abri Vallot peuvent se targuer d'être le lieu d'aisances le plus élevé d'Europe. Les sacs contenant les déchets organiques solides sont descendus, chaque fin d'été, par hélicoptère.

···❖ Respecter la faune et la flore

• Renseignez-vous sur les périodes d'éclosion des rapaces qui nichent dans les roches et les falaises afin de ne pas les déranger.
• Respectez les plantes qui poussent en falaise.
• Demandez l'autorisation avant d'équiper de nouvelles voies.

···❖ Comment faire sa toilette ou la lessive ?

• Pour vous laver dans la nature, utilisez savons et shampooings biodégradables (sans phosphates). De même pour la vaisselle : utilisez un détergent biodégradable. Ou, encore mieux, lavez votre vaisselle avec de la neige ou du sable.
• Si vous devez laver votre linge dans un cours d'eau, faites-le toujours en aval des habitations et loin des points d'eau potable.
• Votre lessive ou votre toilette (même se brosser les dents) doit se faire loin des points d'eau potable.

En vacances à l'étranger

« *Il ne sert à rien à l'homme de gagner la Lune s'il vient à perdre la Terre.* »
François Mauriac

Hélas, les voyageurs comme Pierre Loti, Alexandra David-Neel ou encore Nicolas Bouvier ont fait long feu. La plupart sont devenus des touristes, c'est-à-dire des consommateurs inconséquents qui abîment trop souvent ce qu'ils viennent voir. Le tourisme est la première industrie mondiale. Les populations des destinations touristiques devraient en être les principales bénéficiaires et ne pas en souffrir. L'idée d'un « tourisme durable », où l'on respecte les coutumes, la culture, les habitants et les espaces naturels, fait son chemin. Pas assez vite, hélas !

L'heure est au tourisme écologique

Certes, pour l'heure, le tourisme de masse et la protection de l'environnement s'excluent l'un l'autre. Mais le tourisme vert arrive aussi parmi nous. L'offre explose : le tourisme écologique et responsable est même du dernier chic. Et forme aussi une niche où de belles et bonnes idées sont proposées. On peut ainsi aller protéger des tortues marines en Grèce avec l'association À pas de loup, s'occuper d'oursons orphelins en Russie avec Écovolontaires, ou restaurer l'environnement ou le patrimoine avec les Compagnons bâtisseurs. On peut aussi choisir des hébergements éco-labellisés (comme les Eko-hotels), intégrer le réseau de campings écologiques Cléverte ou, plus haut de gamme, les hébergements en bois Huttopia, choisir des gîtes ruraux labellisés par le panda du WWF, aller se frotter aux fermes bio « Accueil paysan », pratiquer l'éco-volontariat ou les congés solidaires pour partager ses compétences avec ceux qui en ont besoin... Le lancement de l'agence Ushuaïa Voyages, qui propose des voyages « dans une démarche de développement durable », est emblématique du mouvement. Une chaîne comme Nature et Découvertes présente elle aussi des offres, avec, depuis quatre ans, des « itinéraires découvertes », en partenariat avec l'agence de voyages Saïga. N'en jetez plus ! On a compris : il nous faut repenser nos habitudes et réfléchir autrement à nos vacances... Les tour-opérateurs les plus concernés se sont rassemblés au sein de l'association pour le tourisme responsable ATR [111] en 2004. La Plate-forme française pour le commerce équitable (structure de coordination des organismes de commerce équitable en France) a même élaboré une charte du tourisme équitable [112]. À vos guides « verts » pour choisir la destination de vos prochaines échappées !

Attention aux souvenirs !

Prenez votre temps pour choisir les souvenirs que vous allez rapporter de vacances. Dans de nombreux pays, l'exploitation des artisans est bien réelle... Choisissez de préférence des objets qui participent à l'équilibre économique des communautés locales concernées. D'une manière générale, préférez :

- des objets issus de techniques artistiques traditionnelles pour les faire perdurer ;
- les coopératives d'artisans ou les groupes de femmes : les femmes sont plus vulnérables économiquement et l'artisanat est souvent leur seule source de revenu ;
- les villages plutôt que les villes pour limiter le nombre d'intermédiaires.

111. ATR (Agir pour un tourisme responsable), 2, allée du Pigeonnier, 13620 Carry-le-Rouet. Tél. : 06 62 12 46 67. Site Internet : www.tourisme-responsable.org/.
112. Elle accueille pour l'heure quatre structures de tourisme équitable (Croq'nature, Djembé, Tourisme et développement solidaire, La route des sens).

Être attentif aux espèces protégées

Selon l'Union mondiale pour la nature (UICN), un animal ou une plante disparaît toutes les vingt minutes. Sur un peu plus de 40 000 espèces évaluées, 16 119 sont aujourd'hui menacées d'extinction... Alors surtout, de grâce, ne faites pas comme si vous ne saviez pas que les articles (bijoux, statuettes, peignes, montures de lunettes...) en ivoire ou en écaille de tortue menacent directement certaines espèces et sont strictement interdits à l'importation en Europe ! **N'encouragez pas le commerce d'animaux, de minéraux ou de plantes en voie de disparition...** De même, évitez les spécialités culinaires locales à base d'espèces menacées. Cependant, les objets personnels en crocodile, les coquilles de lambi, les bâtons de pluie et le caviar sont autorisés sous certaines conditions.

Une convention internationale, la CITES [113], réglemente la circulation internationale de nombreux animaux, plantes ou dérivés, et impose des permis qui doivent être présentés en douane. La CITES protège ainsi, à des degrés divers, plus de 30 000 espèces sauvages. De fait, on ne le sait pas assez, le trafic d'espèces sauvages vient au troisième rang mondial, après celui de la drogue et des armes.

> **Rien qu'au Brésil, 38 millions d'animaux seraient arrachés chaque année à leur milieu naturel...**

En voyage, exigez un permis CITES lorsque vous souhaitez acquérir un animal, une plante ou un produit dérivé – une ceinture en python, un bracelet en ivoire, un meuble en bois tropical... Il vous garantit que la vente de ces objets est licite, c'est-à-dire qu'elle ne remet pas en cause la conservation des espèces dans leur milieu naturel.

Enfin, n'achetez pas de bois rare provenant d'essences menacées. Choisissez en priorité du bois avec les labels FSC ou PEFC. Privilégiez le bois de provenance locale et exigez la transparence sur les lieux de vente : les vendeurs doivent être capables de donner l'appellation commune et le pays d'origine du matériau. Saviez-vous que la France est le premier pays européen importateur de bois tropicaux africains, dont la moitié est considérée comme provenant de coupes illégales [114] ?

113. À consulter sur www.cites.org.
114. Source : WWF.

POURCENTAGE D'ESPÈCES MENACÉES PAR CATÉGORIE EN 2006 [115]

Catégorie	Pourcentage
Crustacés	85 %
Plantes	70 %
Insectes	52 %
Reptiles	51 %
Mollusques	45 %
Poissons	40 %
Amphibiens	31 %
Mammifères	23 %
Oiseaux	12 %
Total des espèces menacées	40 %

À éviter :

- Les emplettes dans la galerie de l'aéroport au dernier moment.
- Les objets vendus dans les grands hôtels, sauf quand ils indiquent clairement être issus d'un commerce équitable.

Conseils divers

- Attention au golf ! Certes, on associe ce sport à la nature. Mais il faut en moyenne une tonne et demie de fertilisants et de produits chimiques par an pour l'entretien d'un golf. Selon l'association Echoway, en Thaïlande par exemple, il faut l'équivalent de la consommation d'eau de 60 000 autochtones pour arroser un terrain de golf pendant un an !
- Évitez les piles ! La plupart des pays du Sud ne les recyclent pas mais le nôtre, si ! Si vous en emportez en voyage, surtout, rapportez-les chez vous ensuite.
- Choisissez des lieux d'hébergement où le respect de l'environnement est intégré dans les pratiques de l'exploitant. L'éco-label européen peut guider votre choix. Visitez à ce propos le site www.eco-label.com (catégories « hébergement touristique » et « campings »).

115. Le nombre total d'espèces par catégorie est une estimation. Source : Union mondiale pour la nature (UICN). Elle a dressé une liste rouge en 2006 des espèces menacées. Sites Internet : www.uicn.fr et www.redlist.org.

QUE MANGER SANS MENACER LA BIODIVERSITÉ [116] ?

Plusieurs ONG (WWF, SeaChoice ou encore la Living Oceans Society) proposent une liste de poissons pouvant ou ne devant pas être consommés selon l'état de leurs effectifs actuels.

À ÉVITER :

- Anchois pêchés en Espagne et en France
- Baudroie, lotte, flétan, morue/cabillaud, carrelet/plie, saumon atlantique, sébaste et sole pêchés en Atlantique nord
- Lieu et colin d'Alaska pêchés dans le Pacifique nord
- Haddock et thon rouge
- Caviar et esturgeon

NE PAS EN ABUSER :

- Calamar pêché dans l'Atlantique sud et dans le Pacifique Nord
- Dorade royale élevée en Grèce
- Loup de mer pêché en Méditerranée
- Morue/cabillaud élevé en Norvège et en Écosse
- Sardine pêchée en Atlantique nord et en Méditerranée

MEILLEUR CHOIX :

- Crevettes d'élevage provenant du Vietnam ou d'Équateur et pêchées en Atlantique nord
- Flétan pêché en Pacifique nord
- Homard d'élevage
- Hareng pêché en Atlantique nord
- Huîtres d'élevage
- Lieu et colin d'Alaska pêchés en Pacifique sud-est
- Maquereau pêché en Cornouailles et en Atlantique nord
- Merlu du Cap pêché en Atlantique sud
- Sardine pêchée aux États-Unis
- Saumon atlantique élevé en Écosse et en Irlande
- Thon (excepté le thon rouge) pêché en Europe

116. *In* « L'Homme et l'océan ». *Le Monde,* « Dossiers et documents ». Hors-série, août 2007.

« Écolo-nies » de vacances [117]

Pour les 8-12 ans, l'association Sous la lune [118] organise toute l'année des « écolo-nies » de vacances : pour s'initier aux énergies renouvelables et à l'habitat écologique, fabriquer un four solaire au Maroc, découvrir la faune marine ou un parc éolien... De même, les enfants de 6 à 12 ans pourront partir dans les Alpes du Sud : lors du séjour « Citoyens de vie », proposé l'été par l'association Le Petit Prince [119], ils pourront s'adonner à des jeux coopératifs offrant la part belle à la solidarité et à l'entraide, faire du théâtre sur des sujets de société choisis par les jeunes citoyens, suivre des ateliers autour de la communication non violente...

117. Source : *Psychologies*, juillet-août 2007.
118. Contact : http://souslalune.org.
119. Contact : www.lepetitprince.asso.fr.

Vos éco-gestes d'or

À vous de jouer ! Et si vous changiez votre quotidien ? Et si vous choisissiez cinq éco-gestes de ce chapitre sur la détente dans la nature que vous introduirez chaque fois que vous « prendrez le vert » ? En fonction de votre personnalité, certains actes vous semblent insurmontables (vos habitudes vous paraissent trop ancrées...), d'autres en revanche vous vont déjà comme un gant !
Vous verrez, lorsque vous aurez pris une décision (et pas seulement une « bonne résolution »), chaque fois que vous la mettrez en pratique, vous vous sentirez lié à la Terre par un fil invisible...

Notez ici les cinq éco-gestes retenus, en signe de votre engagement. Ce peut être l'occasion d'avoir une conversation familiale où chacun choisit les gestes qu'il va introduire dans son quotidien. Une autre façon d'aller, ensemble, vers l'avenir...

P.-S. Si vous vous sentez motivés par plus de cinq éco-gestes, n'hésitez pas !

Je m'engage à :

VOUS : ____________________

1. ____________________

2. ____________________

3. ____________________

4. ____________________

5. ____________________

VOTRE CONJOINT :

1.

2.

3.

4.

5.

LES ENFANTS :

1.

2.

3.

4.

5.

1.

2.

3.

4.

5.

En guise de conclusion...

Un état d'esprit : la solidarité

« *Tout est relié. Ce que l'homme fait à la toile de la vie, il le fait à lui-même.* » **Chef indien Seattle**

L'environnement, c'est d'abord un état d'esprit. Et là aussi, nos mentalités ont besoin d'un petit coup de dépoussiérant... On peut peindre la vie en gris ou en rose, on peut être individualiste ou tendre la main à un voisin. En guise de conclusion, nous vous donnons quelques pistes. À chacun, chaque jour, d'inventer ses propres gestes. Vivre ensemble, ça commence dans le plus petit geste, à la seconde même où l'on cesse de se penser seul au monde...

« Pas de quartier pour l'indifférence »

L'opération « Pas de quartier pour l'indifférence » tombe à point nommé... Menée depuis octobre 2007 par Atanase Périfan (adjoint au maire Françoise de Panafieu dans le 17e arrondissement de Paris), elle veut maintenant profiter du succès de la Fête des voisins – lancée en 1999 et qui rassemble aujourd'hui plus de 6 millions de convives dans 540 villes et 22 pays – pour aller encore plus loin dans la solidarité de proximité au quotidien. Son objectif ? faire de chacun d'entre nous un « voisin solidaire ».
Le succès de la Fête des voisins et des repas de quartier ou encore le développement de sites de relations de proximité du type www.peuplade.fr [120] montrent en effet qu'il existe une vraie envie d'aller vers l'autre et d'avoir une vie de quartier plus riche : faire les courses pour une voisine âgée, écouter et parler au SDF du coin de sa rue, téléphoner régulièrement à une personne qui supporte mal sa solitude, aller au cinéma à plusieurs... En consacrant quelques minutes par jour à l'autre, nous pouvons tous contribuer à rompre l'isolement des plus seuls et des plus vulnérables.

120. En 2007, ce réseau comptait 70 000 inscrits, essentiellement parisiens. Grenoble vient de les rejoindre. Le réseau s'étend progressivement à la France entière. Cette tribu virtuelle n'en a pas moins des échanges réels : partage de garde des enfants, covoiturage, troc d'une cuisinière contre un aspirateur, rendez-vous pour un cinéma…

Ainsi, à Paris, il existe un réseau de « supervoisins » qui n'hésitent pas à se donner un coup de main, qui veillent sur les personnes en difficulté.
Pour s'inscrire : 01 42 12 72 72.

···⁘ Reporters d'espoir

« Sortir de l'atmosphère anxiogène des médias pour amener les français à s'intéresser aux initiatives qui font avancer la société. » C'est ainsi que Jean-Claude Guillebaud, président du conseil d'orientation de Reporters d'espoir, a salué le baptême de l'agence de presse du même nom.
Il s'agit d'encourager les informations porteuses de solutions et de promouvoir les nombreuses victoires sur la fatalité, souvent méconnues. Pour aller plus loin que les informations grises et noires que nous livrent trop souvent les médias et qui nous sapent tous les jours le moral ! Reporters d'espoir, c'est un site, c'est aussi un magazine à lire. Vous pouvez aussi alimenter la base de données d'initiatives locales qui vous semblent enrichissantes et positives ! L'association est soutenue par Yann Arthus-Bertrand, Maurice Druon, Xavier Emmanuelli, Nicolas Hulot, Dominique Lapierre, Hubert Reeves...

Reporters d'espoirs, 9, rue du Colonel-Rozanoff, 75012 Paris.
Tél. : 01 42 65 20 88. Site Internet : www.reportersdespoirs.org.

···⁘ L'épargne solidaire

Nous tenons à nos économies comme à la prunelle de nos yeux... D'accord. Mais pourquoi ne pas investir notre épargne en optant pour des actions d'entreprises ayant un comportement responsable ? Il existe deux grandes catégories d'investissements : l'épargne éthique et l'épargne solidaire.

L'épargne éthique

Traditionnellement, la gestion des valeurs boursières ne repose que sur des critères financiers. Mais, depuis quelques années, certains gestionnaires retiennent également des critères extra-financiers. D'où plusieurs catégories de placements boursiers permettant aux particuliers d'investir avec de bonnes intentions :

L'investissement socialement responsable (ISR)

Cette catégorie désigne les placements réalisés en fonction d'un arbitrage fondé non seulement sur la performance financière intrinsèque des valeurs suivies, mais aussi sur la prise en compte de notions extra-financières (comme le comportement social, humain, écologique ou bien environnemental de l'entreprise). En France, l'ISR représente moins de 1 % des en-cours financiers. Cela devrait rapidement évoluer. Un site d'information de la Caisse des dépôts et consignations, Novethic [121], est notamment destiné à mieux faire connaître ce type de placement aux professionnels et aux particuliers.

Les fonds éthiques

La politique d'investissement de ces fonds repose là aussi sur des critères financiers, mais également sur une approche d'ordre moral. La stratégie des gestionnaires consiste à sous-pondérer, voire à exclure, des valeurs de sociétés exerçant leur activité dans des secteurs sensibles tels que l'armement, le tabac, l'alcool... L'épargne éthique vise donc à responsabiliser les entreprises présentes sur le marché financier.

Les fonds de développement durable

Selon le rapport Brutland [122], un développement durable est un « développement qui répond aux besoins du présent, sans compromettre la capacité des générations futures de répondre aux leurs ». Sur cette base, les fonds de développement durable, en plus de s'appuyer sur des critères moraux, proposent un filtre supplémentaire qui consiste à sélectionner les entreprises en fonction de leur comportement vis-à-vis de l'environnement, de leur politique sociale, de leurs relations avec les fournisseurs et les sous-traitants. Aucun secteur n'est *a priori* exclu.

L'épargne solidaire

Encore plus engagée dans la recherche de responsabilité, l'épargne solidaire permet de financer des opérations solidaires qui ne trouvent pas de financements dans les circuits financiers classiques (entreprises créées par ou pour des personnes en difficulté, logement de familles en situation précaire, activités sur des territoires marginalisés, etc.). Depuis 1995, un organisme, Finansol [123], s'emploie à fédérer les initiatives des différents acteurs. En France, on compte à ce jour une cinquantaine de produits de finance solidaire, totalisant un en-cours de 890 millions d'euros et quelque 200 000 épargnants solidaires. À quand votre tour ?

121. Adresse : www.novethic.fr/.
122. Rédigé en 1987 par la Commission mondiale sur l'environnement et le développement.
123. Site Internet : www.finansol.fr.

Pour aller plus loin

S. Allermand, *La microfinance n'est plus une utopie !*, Autrement, 2007.

« Les placements éthiques et solidaires », *Alternatives économiques*, septembre 2006.

Cyril Demaria, *Développement durable et finance*, Maxima – Laurent du Mesnil éditeur, 2004.

« *Vivre, c'est bien. Savoir vivre, c'est mieux.*
Survivre c'est sans doute le problème des hommes de demain. »
Roger Molinier

Pour aller plus loin

Adresses et sites Internet incontournables

Ministère de l'Écologie, du Développement et de l'Aménagement durables

20, avenue de Ségur

75007 Paris

Tél. : 01 42 19 20 21

Sites Internet : www.environnement.gouv.fr/ et www.ecologie.gouv.fr/

Le site du ministère de l'Écologie et du Développement durable comporte une rubrique « éco-citoyens », qui encourage à respecter son environnement... et son voisin. Il propose aussi des gestes pour le quotidien à télécharger.

ADEME (Agence de l'environnement et de la maîtrise de l'énergie)

2, square Lafayette

BP 406

49004 Angers Cedex 01

Tél. : 02 41 20 41 20

Fax : 02 41 87 23 50

Site Internet : www.ademe.fr

Ce site offre des guides pratiques à consulter en ligne.Vous y trouverez toutes les informations concernant les activités pour les particuliers, les collectivités et les entreprises.

WWF (fonds mondial pour la nature)

Site Internet : www.wwf.fr/

Ce site propose des conseils en expliquant pour chaque geste son impact sur l'environnement. Indispensable.

Fondation Nicolas Hulot pour la Nature et l'Homme

Créée en 1990 et reconnue d'utilité publique en 1996, cette ONG apolitique et non confessionnelle a pour but de développer l'éducation à l'environnement. Il s'agit

d'un engagement éducatif, scientifique et culturel au service du patrimoine naturel de l'humanité.
Site Internet : www.fondation-nicolas-hulot.org
Ce site possède la page la plus complète de conseils et d'informations sur les gestes quotidiens à adopter, avec leur degré de difficulté.

Greenpeace France
22, rue des Rasselins
75020 Paris
Tél. : 01 53 43 85 85
Fax : 01 53 66 56 04
Site Internet : www.greenpeace.org/france/

Alliance pour la planète
Ce collectif d'associations écologiques décrit dans son blog les préparatifs du fameux « Grenelle de l'environnement ».
Adresse Internet : http://legrenelle.lalliance.fr

Sites Internet divers

www.planetecologie.org/ : un nombre incalculable de gestes, de conseils, d'idées...
www.netecolo.com : chaque jour un nouveau geste pour la planète. À choisir en page d'accueil.
www.consodurable.org : site informant les consommateurs sur les actions des entreprises en matière de développement durable.
www.crc-conso.com/etic/ : site du collectif « De l'éthique sur l'étiquette ».
www.marque-nf.com : liste des produits titulaires de l'éco-label NF.
www.eco-label.com : liste des produits titulaires de l'éco-label européen.
www.terrevivante.org : site d'écologie pratique.
www.notre-planete.info/
www.eco-blog.net/

Exposition « Changer d'ère » de la Cité des sciences.
En un clic, une présentation synthétique, classée par thème : l'essentiel pour comprendre les enjeux liés au développement durable.
Adresse Internet :
www.cite-sciences.fr/francais/ala_cite/expo/tempo/planete/portail/dossiers/

Une vidéo en ligne sur le climat.
Sur le site du ministère de l'Écologie et du Développement durable : en une dizaine de minutes de vidéo interactive, Catherine Laborde et Ronald Guintrange expliquent en images l'effet de serre, ses causes, et les actions engagées aujourd'hui à l'échelle internationale et nationale.
Adresse Internet : http://medd.netvideocom.net/climat

Bibliographie

• Frédérique Basset, *Le Guide de l'écocitoyen à Paris,* Parigramme, 2003.
• Philippe Bourseiller, *365 gestes pour sauver la planète,* La Martinière, 2005.
• Sandrine Cabrit Leclerc, *L'Eau à la maison. Mode d'emploi écologique,* Terre vivante, 2005.
• Josette Déjean-Arrecgros, *Apprendre à lire la nature. Pour la comprendre et la protéger,* Éd. Sud-Ouest.
• Dominique Glocheux, *Sauvez cette planète, mode d'emploi,* Marabout, 2004.
• Nicolas Hulot et le Comité de veille écologique, *Pour un pacte écologique,* Calmann-Lévy, 2006.
• Nicolas Hulot, Dominique Bourg et Robert Barbaut, *Pour que la terre reste humaine,* Points, 2001.
• Claude Lebouar et Marie-Françoise Belotti, *Guide écologique de la famille,* Éd. Sang de la terre, 1992.
• Lylian Le Goff, *Manger bio, c'est pas du luxe,* Terre vivante, 2006.
• Jean-Christian Lhomme et Sabrina Mathez, *La Maison économe : consommer moins d'énergie pour mieux vivre,* Delachaux et Niestlé, 2005.
• Sabine de Lisle, Éric Pradeau et Jean-Marie Pelt, *La Journée de l'écocitoyen : un guide pour préserver l'environnement,* Éd. Sud-Ouest, 2006.
• Thierry Paquot, *Petit manifeste pour une écologie existentielle,* Éd. Bourin, 2007.
• Cécile Philippe, *C'est trop tard pour la terre,* Jean-Claude Lattès, 2007.
• Thierry Salomon et Stéphane Bedel, *La Maison des négawatts. Le guide malin de l'énergie chez soi,* Terre vivante, 1999.
• R. Sansoloni, *Le Non-consommateur : comment le consommateur reprend le pouvoir,* Dunod, 2006.
• Brigitte Simonetta, *Gestes d'intérieur. Comment mieux vivre dans la maison,* Michel Lafon, 2005.

• Janine Thibault (dir.), *L'Air au quotidien*, Odile Jacob, 2003.
• Thierry Thouvenot et Gaëlle Bouttlier-Guérivé, *Planète attitude, WWF/Le Seuil*, 2004. Il existe également un *Planète attitude Junior*.

• Les éditions Jouvence proposent de nombreux livres sur le sujet. Notamment *Le Besoin de nature sauvage*, de Roland de Miller, ou encore *La Consommation écologique. Ne plus accrocher sa vie à un chariot !* de Ezzedine El Mestiri.

• L'Atlas environnement. *Le Monde diplomatique* : une mine sur les enjeux verts.

• Enfin, la fondation Nature et Découvertes publie une collection de guides : « Et si on vivait autrement ? » Ainsi *Votre habitat naturel, Le Bio dans votre assiette, Éduquer à l'environnement, Être écocitoyen, Vivre avec la nature...* Chaque guide est vendu 1 euro, en exclusivité dans les magasins Nature et Découvertes.

Tourisme responsable

• Dominique Auzias, *Tourisme solidaire*, Ed. Le Petit Futé.
• *Le Guide des vacances écologiques*, Éd. du Fraysse.
• Pascal Languillon, *Itinéraires responsables*, Guide Lonely Planet, janvier 2007.
• « Le tourisme autrement », hors-série *Alternatives économiques* n° 18 mars, 2005, www.alternatives-économiques.fr
• Françoise Perriot, *Pour voyager autrement : le guide des nouvelles solidarités*, Le Pré aux clercs, 2005.

Quelques pistes sur le Net

• Plate-forme du tourisme écolo : www.tourisme-responsable.org/
• Echoway, association loi 1901, informe les voyageurs sur les lieux d'accueil du tourisme équitable, solidaire, écologique, l'éco-volontariat et les sensibilise au « voyager responsable ». Site : www.echoway.org/
• Le site http://tourisme-solidaire.uniterre.com/ fournit entre autres informations une liste régulièrement actualisée des agences de voyages solidaires.
• L'association À pas de loup (tél. : 04 75 46 80 18) propose des chantiers écovolontaires et des sorties d'observation de la migration des oiseaux.
Site : www.apasdeloup.org

• Pour faire son choix parmi 700 idées de randonnées sur le site de la Fédération française de randonnée pédestre (tél. : 01 44 89 93 93) : www.ffrandonnee.fr
• Vacances solidaires grâce à l'ATES (Association pour le tourisme équitable et solidaire, tél. : 01 47 83 48 27) : www.unat.asso.fr
• Participer à un chantier de restauration de l'environnement et du patrimoine, en France ou à l'étranger, avec les Compagnons bâtisseurs (tél. : 02 99 02 60 90) : www.compagnonsbatisseurs.org

Films et documentaires

• *Vu du Ciel* est une série de quatre documentaires consacrée aux grands enjeux de la planète et présentée par Yann Arthus-Bertrand. Coffret 2 DVD, Éd. France Télévisions, 2007.
• *Un jour sur terre,* Alistair Fothergill, 2007. De l'océan Arctique au printemps à l'Antarctique en plein hiver. Ce film fait suite à *La Planète bleue,* succès mondial couronné par plusieurs prix, distribué dans une vingtaine de pays.
• *Une vérité qui dérange,* Al Gore, 2006. Le combat de l'ancien vice-président des États-Unis, Al Gore, pour stopper le réchauffement climatique et dénoncer les mythes et illusions qui l'entourent. Site officiel du film : www.criseclimatique.fr/
• *La Planète blanche,* Thierry Piantanida et Thierry Ragobert avec Jean-Louis Étienne, 2006. Une grande fresque de l'Arctique.
Site officiel du film : www.bacfilms.com/site/planeteblanche/
• *Arbres : un voyage immobile,* Sophie Bruneau et Marc-Antoine Roudil, Éditions Montparnasse. Un périple à travers le monde des arbres et les arbres du monde.

Festival international du film d'environnement. Pour connaître les dates, les programmes et les palmarès : www.festivalenvironnement.com

La Chaîne météo émet 24 heures sur 24. Elle est diffusée par les principaux câblo-opérateurs et Canal Sat, et regardée chaque semaine par 3,1 millions de personnes. Un journal en direct est proposé toutes les 15 minutes. Le site Internet de la chaîne, www.lachainemeteo.com, donne des prévisions gratuites.

Pour les enfants

Livres

• Jen Green, Mike Gordon, François Michel, Marc Boutavant, *L'Écologie à petits pas,* Actes Sud junior, 2000.

• *Pourquoi je dois... économiser l'énergie,* Jen Green, Mike Gordan, Éd. Gamma, 2001.

• Brigitte Labbé, Michel Puech, *La Nature et la Pollution,* Milan, « Les goûters philo », 2002.

• Lylian Le Goff, *Manger bio, c'est pas du luxe,* Terre vivante, 2006.

• L'Encyclopédie Ushuaïa junior, Éd. Convergences jeunesse/TF1.
Pour les 7-12 ans. Ouvrages thématiques : *Volcans, Planète Terre, Animaux marins, Origines de l'homme, Grands prédateurs, Forêts.*

• Ann Rocard, David Scrima, *Attention pollution !,* Éd. Lito, 2002.

Jeu de société

La référence du jeu de société écolo est Bioviva, un jeu vendu dans plus de dix pays pour apprendre, dès 8 ans, à vivre mieux de manière ludique.

À l'école ou en camp de vacances

L'environnement est de plus en plus présent dans les programmes : c'est aujourd'hui l'affaire de tous, et notamment des enseignants.

• *En forêt, à la campagne, à la montagne et à la mer,* Nathan, coll. « Les guides du jeune Robinson » (9-12 ans). Pour préparer les sorties, méthodes pour reconnaître faune et flore, activités et jeux, règles de conduite, techniques pour s'orienter.

• David Burnie, *La Nature – Une introduction au monde de la nature et des propositions d'expériences à faire soi-même ou en famille,* Le Seuil, coll. « Guides pratiques jeunesse », 1992. À partir de 9-10 ans.

• Joseph B. Cornell, *Les Joies de la nature,* Éd. Jouvence, 1992. Pour les animateurs et responsables de camps de vacances, de nombreux jeux et activités pour éveiller la sensibilité et l'amour de la nature. En annexe, des adresses utiles.

Le ministère de l'Éducation nationale, le ministère de l'Écologie et du Développement durable ainsi que le photographe Yann Arthus-Bertrand proposent des kits pédagogiques avec plus de vingt affiches pour les enseignants. Plusieurs sujets sont ou seront abordés : en 2006, « Le développement durable, pourquoi ? ». En 2007, « La biodiversité : tout est vivant, tout est lié ». L'eau suit en 2008 et l'énergie en 2009.

Sites Internet

Site du réseau École et Nature : www.educ-envir.org

Informations sur les métiers de l'environnement : www.ecometiers.com

Index

A

B

C

D

E

R

S

T

V

W

Z